Inhaltsverzeichnis ይዘት

Bibliografische Information der Deutschen Nationalbibliothek
Die Deutsche Nationalbibliothek verzeichnet diese Publikation in der Deutschen Nationalbibliografie; detaillierte bibliografische Daten sind im Internet über
http: / / dnb.d-nb.de abrufbar.

Interkultura Verlag Produktinformationen und Shop: interkulturaverlag.de
E-Mail:info@interkulturaverlag.de

Bambino Kinder- und Jugendverlag

Erste Auflage

ISBN/EAN: 9783962130138

10 LESETIPPS für Kinder

So lerne ich mit Spaß und Freude am einfachsten meine Lieblingsvokabeln.

1. Ich mache es mir mit meinen Eltern gemütlich. So macht Lesen Spaß.
2. Ich lese laut vor. So kann ich auch die Aussprache üben.
3. Das Vorlesen wechsle ich mit meinen Eltern ab.
   (Ich lese meinen Eltern vor, meine Eltern lesen mir vor.)
4. Die Silbentrennung hilft mir, die Wörter richtig auszusprechen.
5. Ich sehe mir die Bilder im Buch genau an.
6. Ich lasse mir von meinen Eltern zu dem Thema etwas erzählen.
7. Ich schreibe die Wörter ab. Das ist immer eine gute Übung.
8. Ich erzähle mir selbst, Mama und Papa, was ich auf den Bildern sehe.
9. Ich lese oft im Buch.
10. Ich kann mich und meine Eltern beim Vorlesen aufnehmen (Aufnahmegerät etc.). Später höre ich es mir dann an.

10 LESETIPPS für Eltern

So lernen die Kinder am besten.

1. Kinder lernen am besten an aufgeräumten, ruhigen und hellen Orten.
2. Achten Sie auf eine angenehme Atmosphäre.
3. Nehmen Sie sich die Zeit und lassen Sie sich etwas vorlesen.
4. Stellen Sie Ihrem Kind Fragen über das Thema im Buch.
5. Sorgen Sie dafür, dass Ihr Kind regelmäßig liest, jedoch nicht länger als 30 min.
6. Machen Sie das Lesen beispielsweise zum Abendritual. Feste Zeiten fördern das Lernen.
7. Während der Lesezeit sollten unbedingt Fernseher, Computer und andere elektronische Geräte ausgeschaltet sein.
8. Auch andere Dinge wie Spielgeräte sollten außer Reichweite sein,
   um die Konzentration nicht zu gefährden
9. Für eine gute Konzentration brauchen Kinder viel Bewegung und ausreichend Schlaf.
10. Lassen Sie ruhig erste Lesefehler bei Ihrem Kind zu. Fehler werden gemacht, um aus ihnen zu lernen.

	ə	u	i	a	e	ɨ*	o
p	ፐ	ፑ	ፒ	ፓ	ፔ	ፕ	ፖ
t	ተ	ቱ	ቲ	ታ	ቴ	ት	ቶ
tʃ	ቸ	ቹ	ቺ	ቻ	ቼ	ች	ቾ
k	ከ	ኩ	ኪ	ካ	ኬ	ክ	ኮ
x	ኸ	ኹ	ኺ	ኻ	ኼ	ኽ	ኾ
b	በ	ቡ	ቢ	ባ	ቤ	ብ	ቦ
d	ደ	ዱ	ዲ	ዳ	ዴ	ድ	ዶ
dʒ	ጀ	ጁ	ጂ	ጃ	ጄ	ጅ	ጆ
g	ገ	ጉ	ጊ	ጋ	ጌ	ግ	ጎ
p'	ጰ	ጱ	ጲ	ጳ	ጴ	ጵ	ጶ
t'	ጠ	ጡ	ጢ	ጣ	ጤ	ጥ	ጦ
tʃ'	ጨ	ጩ	ጪ	ጫ	ጬ	ጭ	ጮ
k'	ቀ	ቁ	ቂ	ቃ	ቄ	ቅ	ቆ
ʔ	አ	ኡ	ኢ	ኣ	ኤ	እ	ኦ
s'	ጸ	ጹ	ጺ	ጻ	ጼ	ጽ	ጾ
f	ፈ	ፉ	ፊ	ፋ	ፌ	ፍ	ፎ
s	ሰ	ሱ	ሲ	ሳ	ሴ	ስ	ሶ
ʃ	ሸ	ሹ	ሺ	ሻ	ሼ	ሽ	ሾ
h	ሀ	ሁ	ሂ	ሃ	ሄ	ህ	ሆ
⊠	ሑ	ሒ	ሓ	ሔ	ሕ	ሖ	ዖ
z	ዘ	ዙ	ዚ	ዛ	ዜ	ዝ	ዞ
ʒ	ዠ	ዡ	ዢ	ዣ	ዤ	ዥ	ዦ
m	መ	ሙ	ሚ	ማ	ሜ	ም	ሞ
n	ነ	ኑ	ኒ	ና	ኔ	ን	ኖ
ɲ	ኘ	ኙ	ኚ	ኛ	ኜ	ኝ	ኞ
w	ወ	ዉ	ዊ	ዋ	ዌ	ው	ዎ
l	ለ	ሉ	ሊ	ላ	ሌ	ል	ሎ
j	የ	ዩ	ዪ	ያ	ዬ	ይ	ዮ
r	ረ	ሩ	ሪ	ራ	ሬ	ር	ሮ

* der Konsonant kann an Stelle von ɨ auch ohne Vokal sein

Mei•ne Fa•mi•lie
ቤተሰቤ

Bru•der, der
ወንድም

Schwes•ter, die
እህት

Va•ter, der
አባት

Mut•ter, die
እናት

Gro•ßva•ter, der
ወንድ አያት

Cou•sin, der
የአክስት ወይም የአጎት ወንድ ልጅ

Cou•si•ne, die
የአክስት ወይም የአጎት ሴት ልጅ

Gro•ß•mut•ter, die
ሴት አያት

On•kel, der
አጎት

Tan•te, die
አክስት

Bild, das
ስዕል
Bü•cher•re•gal, das
መጽሐፍ መደርደሪያ
Rah•men, der
ፍሬም
Fu•ßho•cker, der
የእግር ማሳረፊያ
Sofa, das/Couch, die
ሶፋ
Tep•pich, der
ምንጣፍ
(Kin•der-)Hoch•stuhl, der
የሕጻን ወንበር
Boh•nen•säck•chen, das
ቢንባግ

Fens•ter, das
መስኮት
Vor•hang, der
መጋረጃ
Hut•stän•der, der
ኮት ማንጠልጠያ
Ses•sel, der
ባለ መደገፊያ
ወንበር
Tisch, der
ጠረጴዛ
Schau•kel•stuhl, der
መወዛወዣ ወንበር
Trep•pe, die
ደረጃ
Ho•cker, der
በርጩማ

Das Wohn•zim•mer

ሳሎን

Te•le•fon, das

ስልክ

Bil•der•rah•men, der

የፎቶ ፍሬም

Spar•lam•pe, die

የኃይል ቆጣቢ መብራት

Tisch•lam•pe, die

የጠረጴዛ ላይ መብራት

Blu•men•va•se, die

የአበባ ማስቀመጫ

Ses•sel, der

ነ መደገፊያ ወንበር

zwei•sit•zi•ges So•fa, das

ሶፋ

Couch•tisch, der

የሶፋ ጠረጴዛ

Tisch, der

ጠረጴዛ

Han•dy, das, Han•dys, die

የሞባይል ስልክ

Com•pu•ter•tisch, der

የኮምፒዩተር ጠረጴዛ

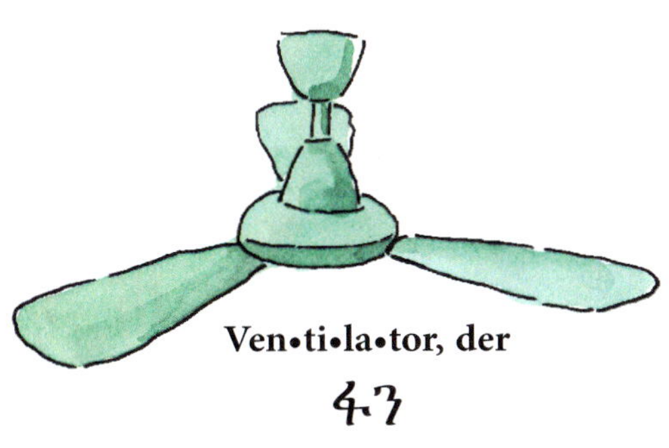

Ven•ti•la•tor, der

ፋን

Fern•se•her, der

ቴሌቭዥን

DVD-Spie•ler, der

የዲቪዲ ማጫወቻ

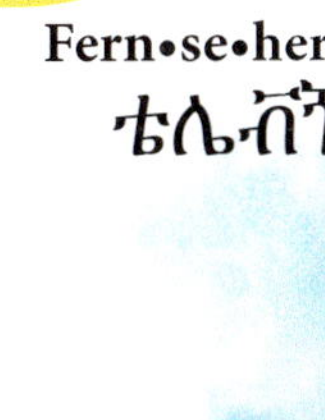

Stuhl, der

ወንበር

Kli•ma•an•la•ge, die

አየር የሚያቀዘቅዝ ማሽን

Laut•spre•cher, der

ስፒከር

Heim•ki•no•an•la•ge, die

የቤት ውስጥ የቲያትር ማጫወቻ መሳሪያ

Das Ess•zim•mer

መመገቢያ ክፍል

Fo•to•rah•men, der
የፎቶ ፍሬም

Tas•se, die
ኩባያ

Ga•bel, die
ሹካ

Löf•fel, der
ማንኪያ

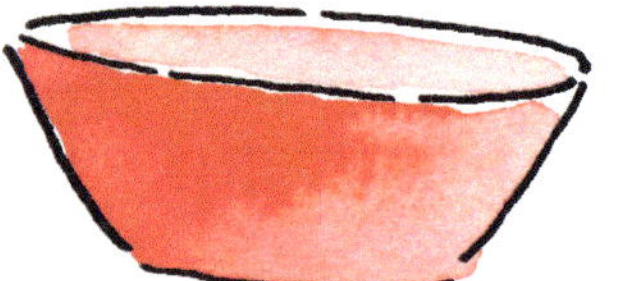

Scha•le, die
ጎድጓዳ ሳህን

Salz•streu•er, der
የጨው ማቅረቢያ

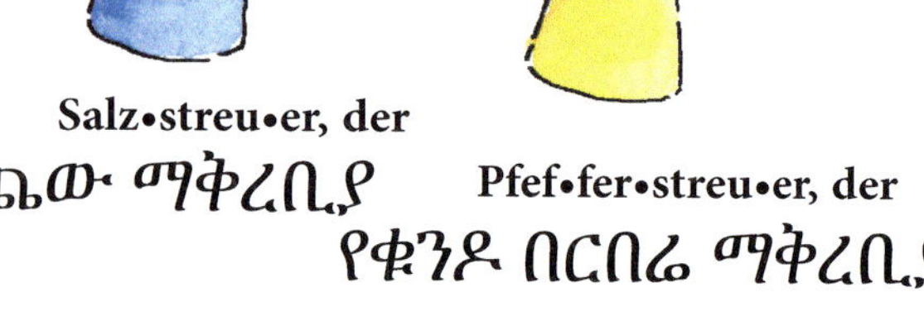

Pfef•fer•streu•er, der
የቁንዶ በርበሬ ማቅረቢያ

Ess•stuhl, der
የመመገቢያ ወንበር

Ess•tisch, der
የመመገቢያ ጠረጴዛ

Tisch•de•cke, die
የጠረጴዛ ልብስ

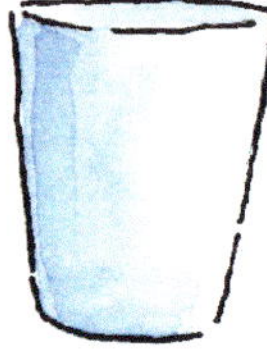

Glas, das
ብርጭቆ

Tisch•un•ter•set•zer, der
የብርጭቆ እና ኩባያ ማስቀመጫ

Obst•korb, der

የፍራፍሬ ማስቀመጫ ቅርጫት

Be•steck, das

ማንኪያ፣ ሹካ፣ እና ቢለዋ

Kaf•fee•tas•se, die

የቡና መጠጫ ኩባያ

Fu•ß•mat•te, die

የበራፍ ላይ ምንጣፍ

Ther•mos•kan•ne, die

ፔርሙዝ

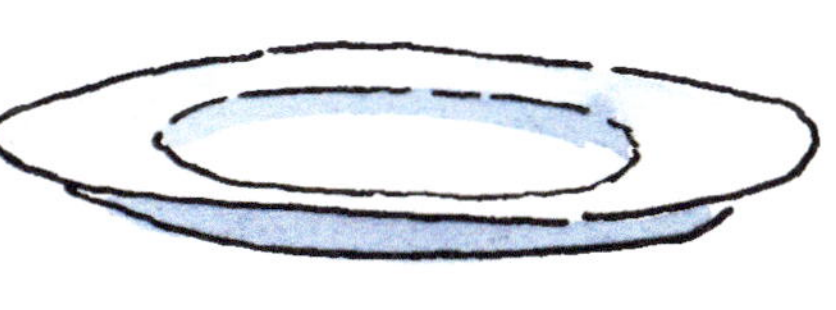

Tel•ler, der

ሳህን

Kom•mo•de, die

መልበሻ

Das Schlaf•zim•mer

መኝታ ቤት

Klei•der•schrank, der
ቁም ሳጥን
Fens•ter, das
መስኮት
Gar•di•ne, die
መጋረጃ
Spiel•zeug•au•to, das
መጫወቻ መኪና
Bas•ket•ball, der
ባስኬትቦል
Schu•he, die
ጫማ
So•cken, die
ካልሲ

Die Kü•che

ኩሽና

Kühl•schrank, der

ፍሪጅ

Koch•topf, der

ድስት

Schmor•pfan•ne, die

መቀቀያ ድስት

Tee•kan•ne, die

የሻይ ጀበና

Krug, der

ደንበጃን

Schnell•koch•topf, der

የግፊት ማብሰያ

Gas•fla•sche, die

የጋዝ ስሊንደረ

Mi•kro•wel•len•ofen, der

ማይክሮዌቭ ምድጃ

Mi•xer, der

በኤሌክትሪክ የሚሰራ ማደባለቂያ/መፍጫ

Das Ba•de•zim•mer
መታጠቢያ ቤት

Spie•gel, der
መስታወት

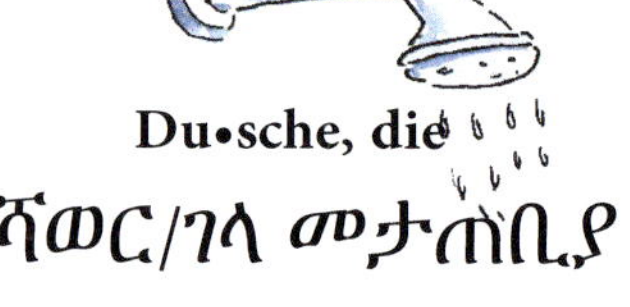

Du•sche, die
ሻወር/ገላ መታጠቢያ

Ei•mer, der
ባልዲ

Be•cher, der
ጆግ

Sei•fe, die
ሳሙና

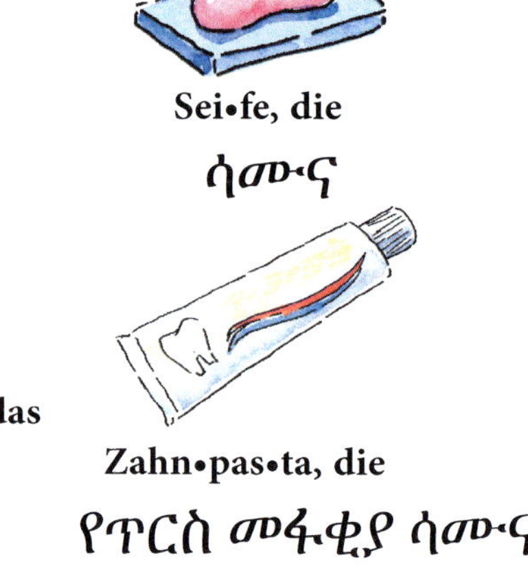

Sham•poo, das
ሻምፖ

Zahn•pas•ta, die
የጥርስ መፋቂያ ሳሙና

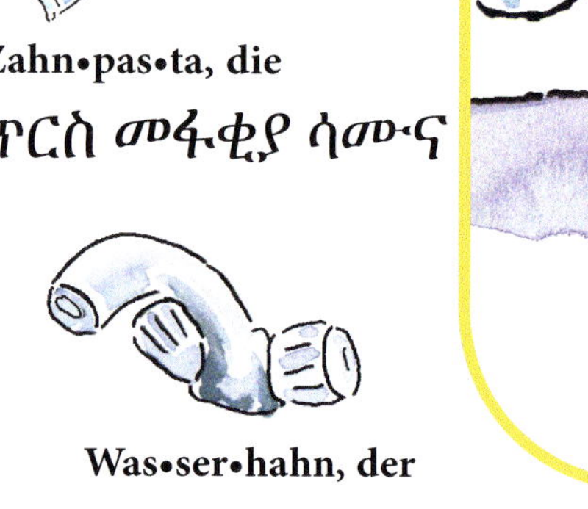

Zahn•bürs•te, die
የጥርስ ብሩሽ

Was•ser•hahn, der
ቧንቧ

Towel rack
ፎጣ መደርደሪያ

Wasch•be•cken, das
መታጠቢያ ሳህን

Haar•trock•ner, der
የፀጉር ማድረቂያ

Hand•tuch, das
ፎጣ

Haa•r•öl, das
የጸጉር ዘይት

Tal•kum, das
የታልከም ፓውደር/ዱ

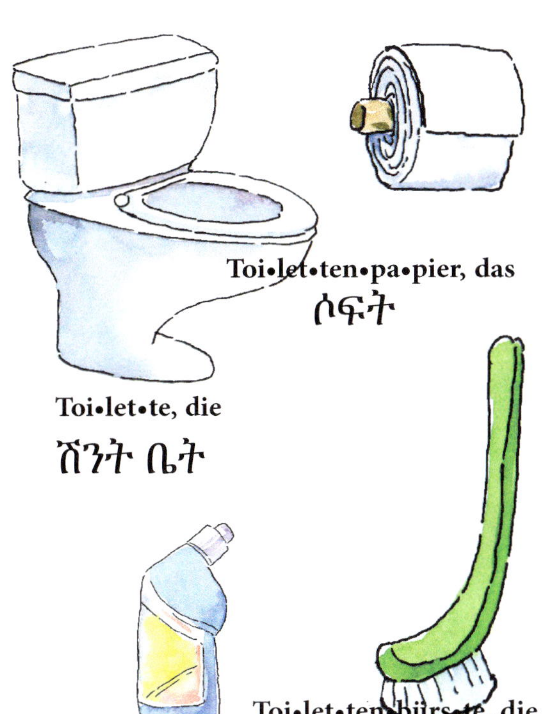

Toi•let•ten•pa•pier, das
ሶፍት

Toi•let•te, die
ሽንት ቤት

Toi•let•ten•bürs•te, die
የሽንት ቤት ብሩሽ

WC-Rei•ni•ger, der
የሽንት ቤት ማጽጃ

Bürs•te, die
ብሩሽ

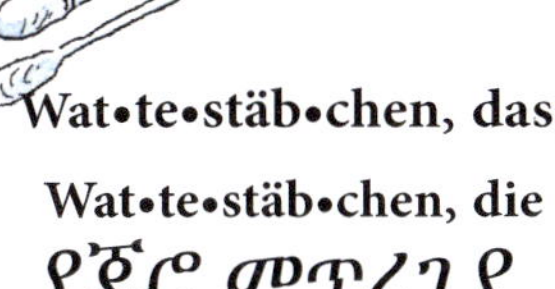

Wat•te•stäb•chen, das,
Wat•te•stäb•chen, die
የጆሮ መጥረጊያ

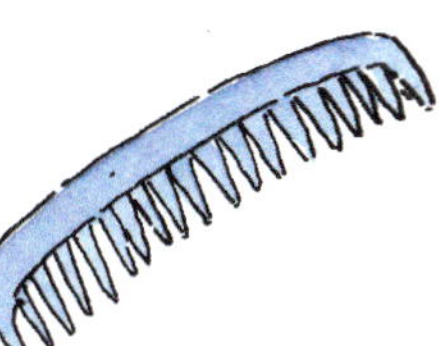

Kamm, der
ማበጠሪያ

Haar•bürs•te, die
የጸጉር ብሩሽ

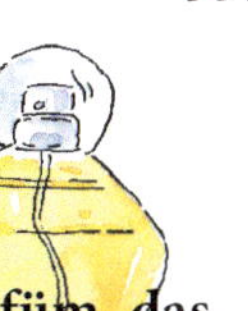

Par•füm, das
ሽቶ

küh•len•de Creme, die
ማቀዝቀዣ ክሬም

Pin•zet•te, die
ወረንጦ

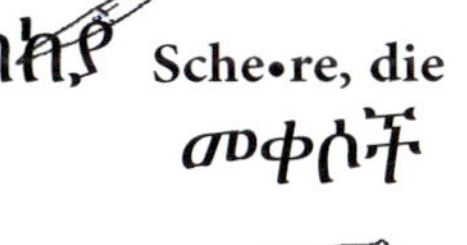

Na•gel•zan•ge, die
የጥፍር መቁረጫ

Na•gel•fei•le, die
የጥፍር ማስተካከያ

Sche•re, die
መቀሶች

Ra•sie•rer, der
ራዘር

Ra•sier•pin•sel, der
የመላጫ ብሩሽ

Ba•de•ofen, der
ውሃ ማሞቂያ

Ra•sier•creme, die
የመላጫ ክሬም

Ba•de•wan•ne, die
የመታጠቢያ ገንዳ

Das Spiel•zim•mer

መጫወቻ ክፍል

Die Wild•tie•re
የዱር እንስሳት

Puma, der

ፑማ

Ja•gu•ar, der

ጃጓር

Ele•fant, der

ዝሆን

Ti•ger, der

ነብር

Ge•pard, der

አቦ ሸማኔ

Wild•kat•ze, die

የዱር ድመት

Lö•we, der

አንበሳ

Schwar•zer Pan•ther, der

ጥቁር ግስላ

Hyä•ne, die

ጅብ

Wolf, der

ተኩላ

Fuchs, der

ቀበሮ

Go•ril•la, der

ጉሬላ

Schim•pan•se, der

ዝንጀሮ

Kän•gu•ru, das

ካንግሩ

Braun•bär, der

ቡናማ ድብ

Im•pa•la, die

ሚዳቋ

Ze•bra, das

የሜዳ አህያ

Reh, das

አጋዘን

Pan•da•bär, der

ፓንዳ/የድብ አይነት

Nas•horn, das

አውራሪስ

Gi•raf•fe, die

ቀጨኔ

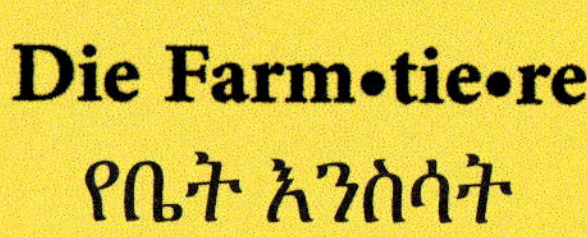

Die Farm•tie•re
የቤት እንስሳት

Lamm, das
ጠቦት

Pferd, das
ፈረስ

Schaf, das
በግ

Kuh, die
ላም

Ka•mel, das
ግመል

Hahn, der
አውራ ዶሮ

Esel, der
አህያ

Hen•ne, die
ዶሮ

Kü•ken, das
ጫጩት

Maul•tier, das
በቅሎ

Hund, der
ውሻ
Kat•ze, die
ድመት
Gei•ß•lein, das
የፍየል ልጅ
Zie•ge, die
ፍየል
La•ma, das
ላማ
Och•se, der
በሬ
Trut•hahn, der
ተርኪ
Schwein, das
አሳማ
En•ten•kü•ken, das,
En•t•en•kü•ken, die
የዳክዬ ጫጩቶች
En•te, die
ዳክዬ

Die Vö•gel
ወፎች

Wach•tel, die
ድርጭት

Tau•be, die
እርግብ

Eu•le, die
ጉጉት

Gei•er, der
ጥንብ አንሳ

Ko•li•bri, der
ዘማሪ ወፍ

Eis•vo•gel, der
አሳ አጥማጅ ወፍ

Strauß, der
ሰጎን

En•te, die
ዳክዬ

Ad•ler, der
ንስር አሞራ

Pfau, der
ፒኮክ

Fla•min•go, der
ፍላሚንጎ

Pe•li•kan, der
ፔሊካን

Storch, der
ሽመላ

Tu•kan, der
ቱካን

Blau•hä•her, der
ብሉጄ

Pa•pa•gei, der
በቀቀን

Ara, der
ማስካው

Ku•ckuck, der
ኩኩ

We•ber•vo•gel, der
የሽመና ወፍ

Spint, der
ንብ በይ

Hahn, der
አሡራ

Rot•kar•di•nal, der
ቀይ ካርዲናል

Man•da•ri•nen•te, die
ማንድሪን ዳክዬ

Rot•kehl•chen, das
ሮብን

Die Was•ser•tie•re

የውሃ እንስሳት

Die Blu•men

አበባዎች

Früch•te und Ge•mü•se
ፍራፍሬዎች እና አትክልቶች

Rü•be, die
ተርኒፕ
Sü•ß•kar•tof•fel, die
የስኳር ድንች
Erb•sen, die
አተር
Ret•tich, der
ራዲሽ
Fla•schen•kür•bis, der
ሞሃ ቅል
Pilz, der
እንጉዳይ/የጅብ ጥላ
Gur•ke, die
ኪያር/የፈረንጅ ዱባ
bit•te•rer Kür•bis, der
መራራ ቅል
Kür•bis, der
ዱባ
Kar•tof•fel, die
ድንች
grü•ner Chi•li, der
የሚያቃጥል ቃርያ/የሚጥምጣ ቃርያ
Zwie•bel, die
ሽንኩርት
Au•ber•gi•ne, die
ማደርቻ
Kohl, der
ጥቅል ጎመን
Pa•pri•ka, die
ፓፕሪካ
To•ma•te, die
ቲማቲም
Blu•men•kohl, der
የአበባ ጎመን

Das Es•sen
ምግብ

Pom•mes fri•tes, die
የተጠበሰ ድንች

Crois•sant, das
ኩራሳንት

Bur•ger, der
በርገር

Sand•wich, das
ሳንዱች

Keks, der, Kek•se, die
ኩኪስ

Plätz•chen, das,
Plätz•chen, die
ብስኩቶች

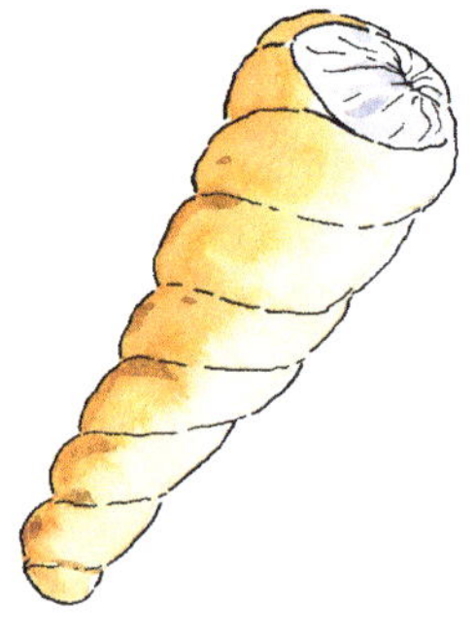
Cremerol•le, die
ክሪም ሮል

Hot Dog, der
ሆት ዶግ

Scho•ko•la•de, die
ቸኮላት

Pas•ta/Spa•ghet•ti, die
ፓስታ/ስፓጌቲ

Milch, die
ወተት

Nu•deln, die
ኑድልስ

Ku•chen, der
ኬክ

Blät•ter•teig, der mit Wurst•fül•lung, die
ሶሴጅ ሮል

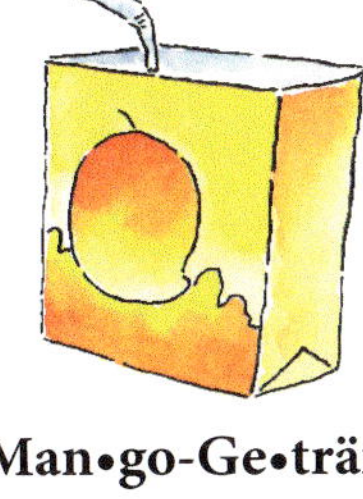

Man•go-Ge•tränk, das
የማንጎ ጭማቂ

Eis•creme, die, Eis, das
አይስክሪም

Kä•se, der
አይብ

Eis•waf•fel, die
የጀላቲ ማስቀመጫ ብስኩት

Chips, die
ችፕስ

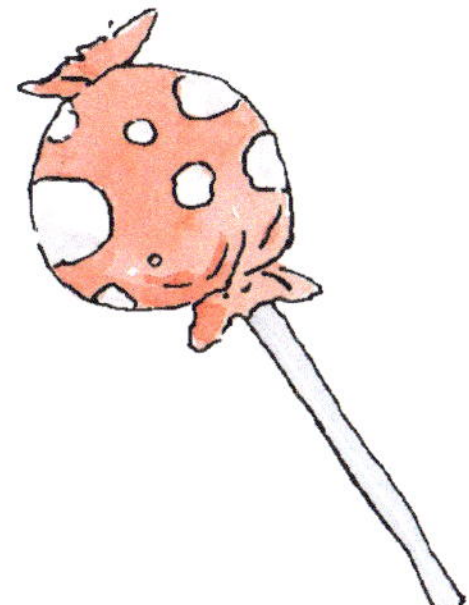

Lol•li•pop, der
የሚመጠጥ ከረሚላ

Wa•ckel•pud•ding, der
ማርማላት

Bon•bon, der
ከረሜላ

Do•nut, der, Do•nuts, die
ዶናት

Piz•za, die
ፒዛ

Pas•te•te, die
ፓይ

Sa•lat, der
ሰላጣ

Milchs•hake, der
ሚልክሼክ

Saft, der
ጭማቂ

Er•fri•schungs•ge•tränk, das
ለስላሳ

Brot, das
ዳቦ

Die Klei•dung
አልባሳት

Shirt, das
ሸሚዝ

Ca•pri•ho•se, die
ረጅም ቁምጣ

Sak•ko, der/das
ኮት

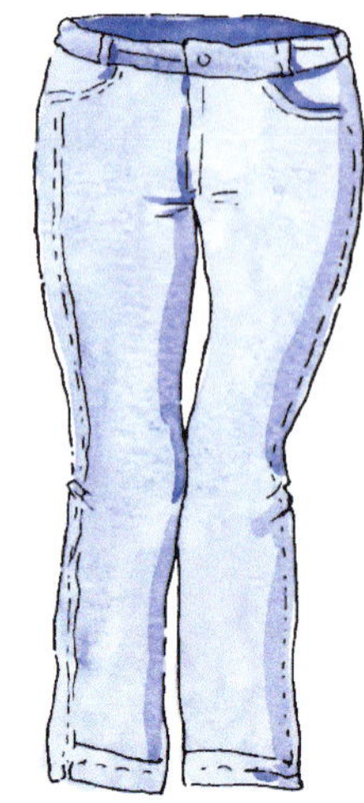

Jeans, die
ጂንስ

Ja•cke, die
ጃኬት

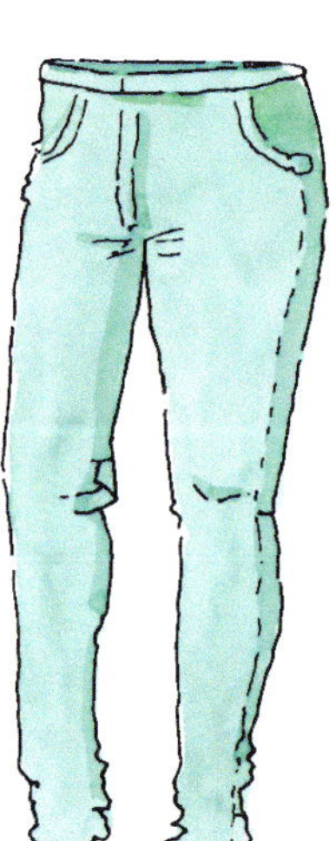

Ho•se, die
ሱሪ

lan•ges Kleid, das
ረጅም ቀሚስ

Shorts, die
ቁምጣዎች

Ba•de•man•tel, der
ገላ ማድረቂያ ጋውን

Re•gen•man•tel, der
ቀለል ያለ ኮት

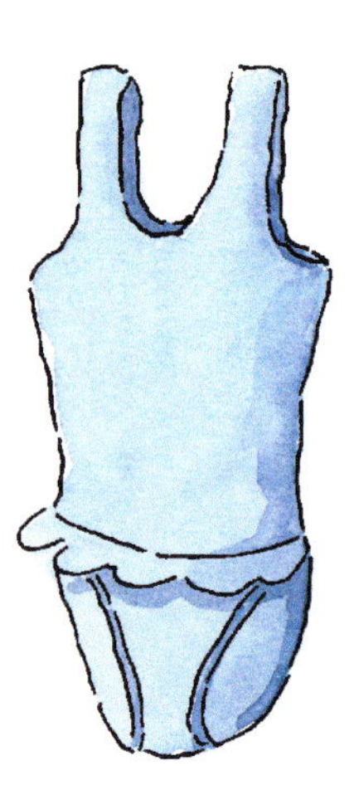

Ba•de•an•zug, der
የዋና ልብስ

Over•all, der
ጥልቅ ተደርጎ የሚለበስ ል

Ho•se mit Ho•sen•
trä•gern, die
ባለ ማንጠልጠያ ሱሪ
T-Shirt, das
ቲሸርት
Pull•over, der
ሹራብ
Kleid, das
ቀሚስ
An•ti-fit Ho•se, die
ቦላሌ
Trench•coat, der
ቀለል ያለ ኮት
war•me Ja•cke, die
ወፍራም ኮት
Trai•nings•an•zug, der
ቱታ
kur•ze Jeans, die
አጭር ጂንስ
Blu•se, die
ብላውስ
Rock, der
ቀሚስ
Un•ter•hemd, das
የውስጥ ልብስ
Un•ter•ho•se, die
ሙታንታ
Schlaf•an•zug, der
ፒጃማ

Das Klei•dungs•zu•be•hör

ተጨማሪ አልባሳት

Der Luft•trans•port

የአየር መጓጓዣ

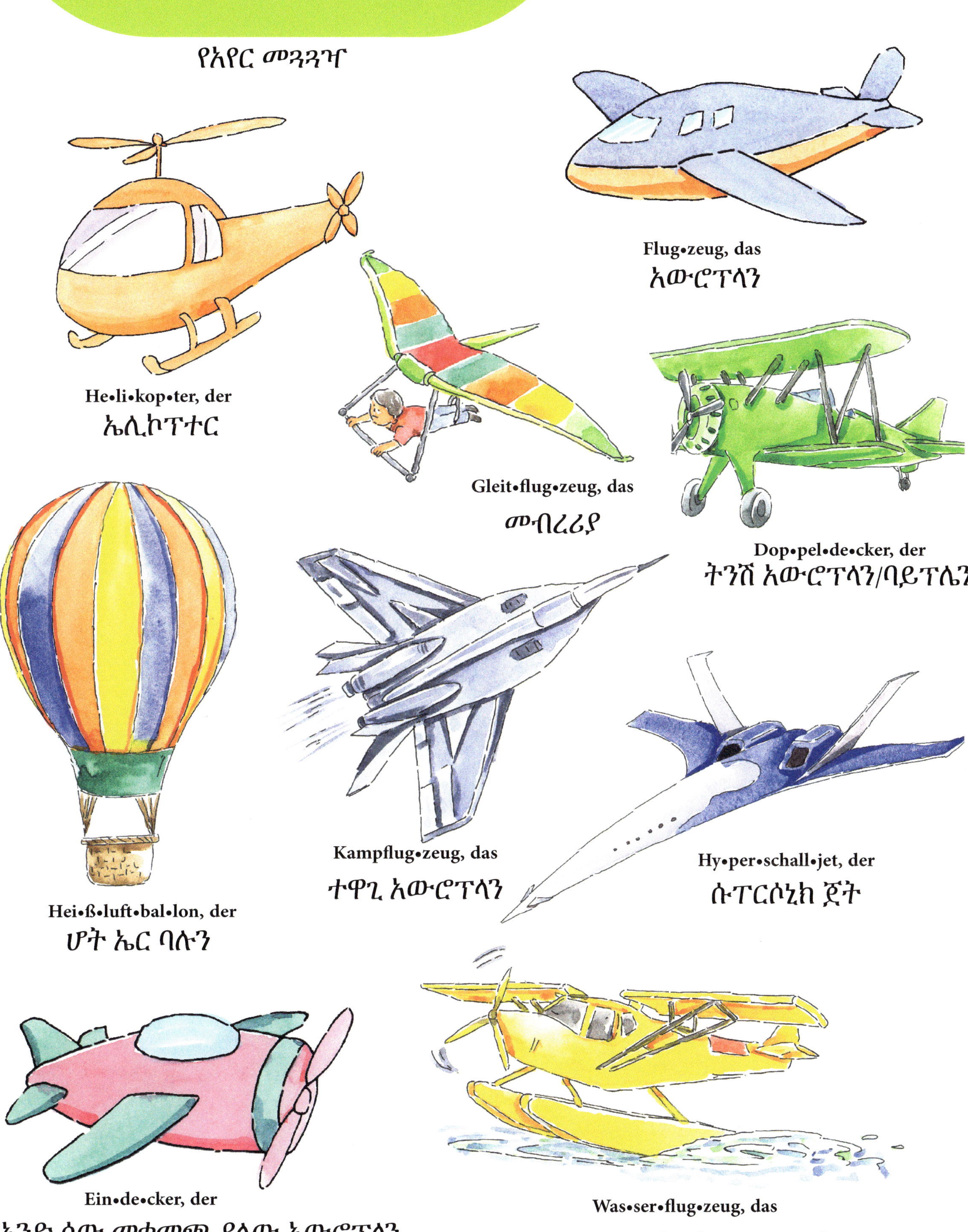

Flug•zeug, das
አውሮፕላን

He•li•kop•ter, der
ሄሊኮፕተር

Gleit•flug•zeug, das
መብረሪያ

Dop•pel•de•cker, der
ትንሽ አውሮፕላን/ባይፕሌን

Kampflug•zeug, das
ተዋጊ አውሮፕላን

Hy•per•schall•jet, der
ሱፐርሶኒክ ጀት

Hei•ß•luft•bal•lon, der
ሆት ኤር ባሉን

Ein•de•cker, der
የአንድ ሰው መቀመጫ ያለው አውሮፕላን

Was•ser•flug•zeug, das
በባህር ላይ የሚሄድ አውሮፕላን/ሲፕሌን

Der Stra•ßen•ver•kehr

የመንገድ መጓጓዣ

Au•to, das

መኪና

Kipp•wa•gen, der

ገልባጭ መኪና

Au•to•rik•scha, die

ባጃጅ

Rik•scha, die

ሞተር አልባ ባጃጅ

Gü•ter•wa•gen, der

የጭነት መኪኖች

Fahr•rad, das

ሳይክል

Bus, der

አውቶቡስ

Quad, das

ኳዋድ

Kran•ken•wa•gen, der

አምቡላንስ

Feu•er•wehr•wa•gen, der

የእሳት አደጋ መኪና

Klein•wa•gen, der

ትንሽ መኪና

Last•kraft•wa•gen (LKW), der

የጭነት መኪናዎች

Last•wa•gen, der

የደረቅ ጭነት መኪና

Lu•xus•wa•gen, der

የቅንጦት መኪና

Sports bike, das

ሞተር ሳይክል

Mo•tor•rad, das

ሞተር ሳይክል

Mo•ped, das

ሞፔድ

Ab•schlepp•wa•gen, der

ጎታች መኪና

Sport•wa•gen, der

የስፖርት መኪና

Tank•las•ter, der

የፈሳሽ ጨነት መኪና

Rol•ler, der

ስኩተር

Der Was•ser•trans•port
የውሃ መጓጓዣ

Schlepp•boot, das
ጎታች ጀልባ

Se•gel•boot, das
ጀልባ

Schiff, das
መርከብ

Flug•zeug•trä•ger, der
አውሮፕላን ተሸካሚ/አምጪ

Tan•ker, der
ጫኝ መርከብ

Kreuz•fahrt•schiff, das
ባህር ላይ መንሸራሸሪያ መርከብ

Un•ter•see•boot, das
ሰርጓጅ መርከብ

Con•tai•ner-Schiff, das
እቃ ጫኝ መርከብ

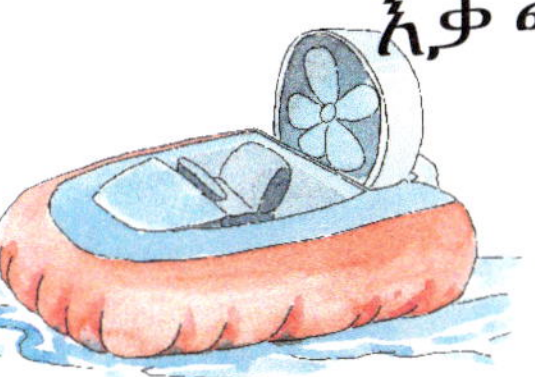

Luft•kis•sen•boot, das
ሆቨር ክራፍት

Ru•der•boot, das
መቅዘፊያ ጀልባ

Mo•tor•boot, das
ጄት ስኪ

Gon•del, die
ታንኳ

Fäh•re, die
የመመላለሻ ጀልባ

Fang•schiff, das
አጥማጅ መርከብ

Vier•mast•bark, die
የንፋስ መርከብ

Un•ge•zie•fer und In•sek•ten
ትላትል እና ነፍሳት

Ma•ri•en•kä•fer, der
ሌዲባግ

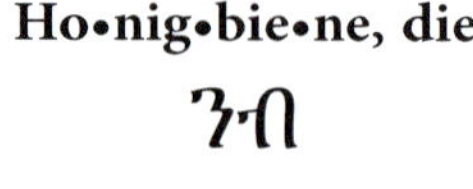

Ho•nig•bie•ne, die
ንብ

Schmet•ter•ling, der
ቢራቢሮ

Got•tes•an•be•ter•in, die
ማንቲስ

Mü•cke, die
ቢንቢ

Skor•pi•on, der
ጊንጥ

Hirsch•kä•fer, der
የጥንዚዛ አይነት

Blatt•horn•kä•fer, der
ጢንዚዛ

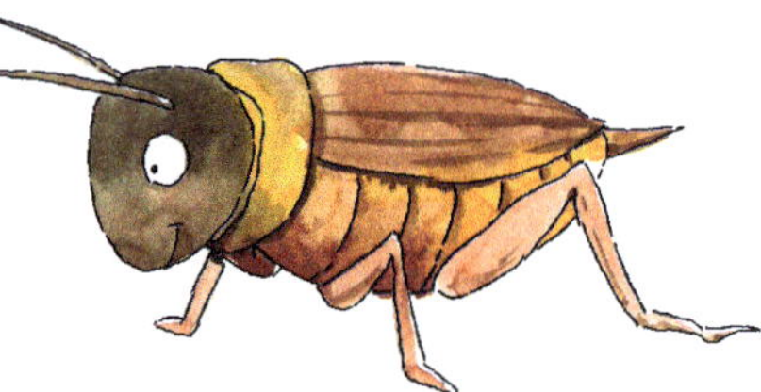

Gril•le, die
ፌንጣ

Li•bel•le, die
የውሃ ተርብ

Ei•dech•se, die
እንሽላሊት

Heu•schre•cke, die
አንበጣ

Tau•send•fü•ß•ler, der
ዳሞትራ

Nas•horn•kä•fer, der
አውራሪስ ጢንዚዛ

A•mei•se, die
ጉንዳን

Rüs•sel•kä•fer, der
ነቀዝ

Bie•ne, die
ንብ

Ohr•en•knei•fer, der
ኢርዊግ

Rau•pe, die
አባጨጓሬ

Stu•ben•flie•ge, die
ዝንብ

Wes•pe, die
ተርብ

Stab•heu•schre•cke, die
ጭራሮ ነፍሳት

Mot•te, die
የእሳት እራት

Sub•ma•ri•ne
ሰርጓጅ

Schne•cke, die
ቀንድ አውጣ

Die Mu•sik•in•stru•men•te

የሙዚቃ መሳሪያዎች

Tab•la, die

ታብላ

Hand•har•mo•ni•ka, die,

Ak•kor•deon, das

አኮርዲዮን

Trom•pe•te, die

ትራምፔት

Tri•an•gel, die

ሦስት ማዕዘን

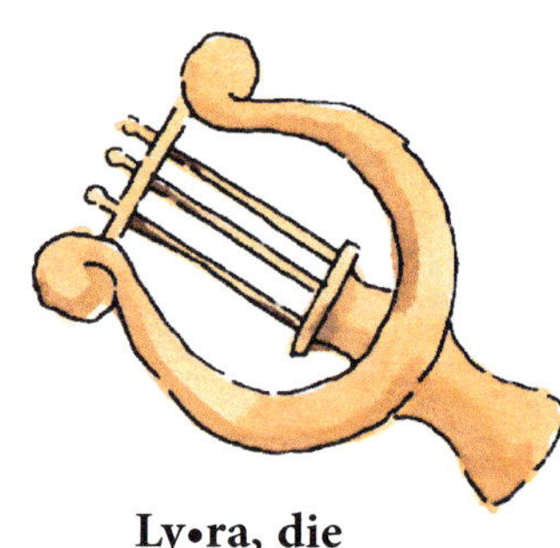

Ly•ra, die

ላይራ

Gi•tar•re, die

ጊታር

Wir•bel•trom•mel, die

ከበሮ

Sa•xo•fon, das

ሳክስፎን

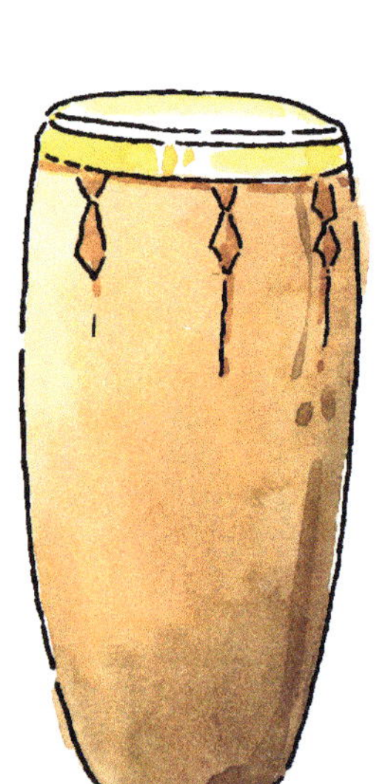

Con•ga, die

ኮንጋ

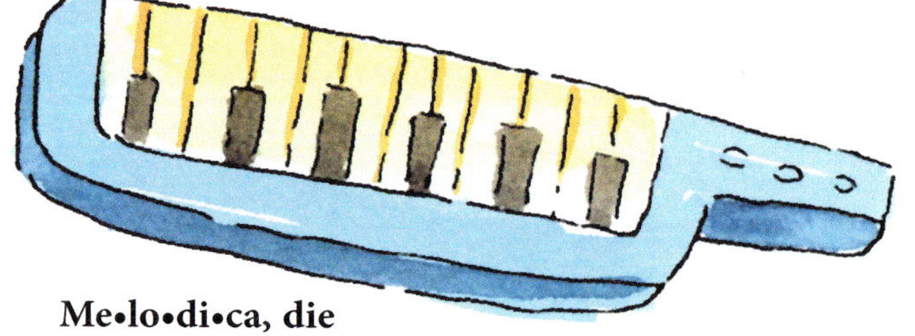

Me•lo•di•ca, die

ሜሎዲካ

Har•mo•ni•um, das
ሀርሞኒየም
Dholak, die
ዶላክ
Flö•te, die
ዋሽንት
Syn•the•si•zer, der
አስተጻማሪ
Si•tar, die
ሲታር
Rum•ba•ku•geln, die
ሩምባ ኳስ
Schel•len•trom•mel, die
ክላፕ ከበሮ
Har•fe, die
ሃርፕ
Gei•ge, die
ማሲንቆ
Po•sau•ne, die
ትረምቦን
Kla•vier, das
ፒያኖ

Die Be•ru•fe
ባለሙያዎች

Di•gi•tal jo•ckey, der, DJ, der
ዲጄ

Jä•ger, der
አዳኝ

Mu•si•ker, der
ሙዚቀኛ

Gym•nas•tik•leh•rer, der
የአሮቢክስ አስተማሪ

Rei•ni•gungs•kraft, die
አጽጂ

Apo•the•ker, der
ፋርማሲስት

Arzt, der

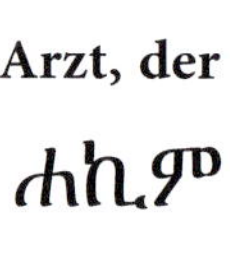

ሐኪም

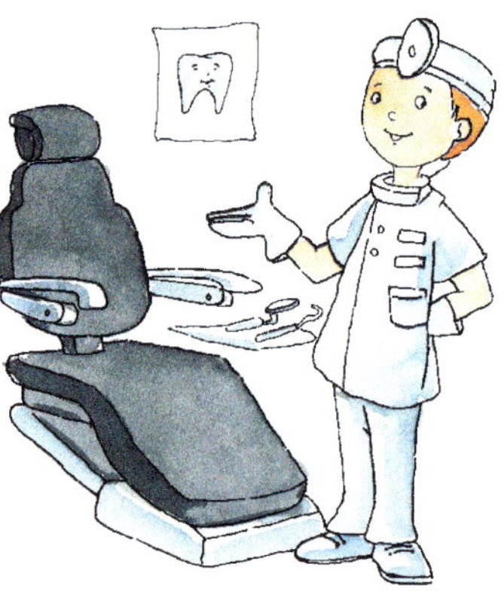

Zahn•arzt, der
የጥርስ ሀኪም

Sän•ger, der
ዘፋኝ

Metz•ger, der
የከብት አራጅ

Schnei•der, der
የልብስ ሰፊ

Lie•fer•ant, der
ተላላኪ ልጅ

Emp•fangs•da•me, die
እንግዳ ተቀባይ

Fo•to•graf, der
ፎቶ አንሺ

As•tro•naut, der
የጠፈር ተመራማሪ

Brief•trä•ger, der
ፖስታ የሚያመጣ ሰው

Tisch•ler, der
አናጢ

Kran•ken•schwes•ter, die
የጤና ረዳት

Clown, der
አሳቂ

Mau•rer, der
ግንበኛ

Bä•cker, der
ጋጋሪ

Flug•ha•fen•ver•kehrs•be•glei•ter, der
የአየር ማረፊያ ትራፊክ ሰራተኛ

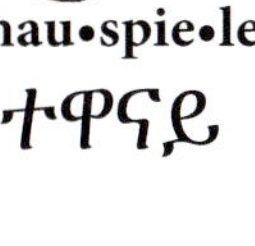

Schau•spie•ler, der
ተዋናይ

Leh•rer, der
አስተማሪ

Le•bens•mit•tel•händ•ler, der
ቸርቻሪ

Jour•na•list, der
ጋዜጠኛ

Nach•rich•ten•spre•cher, der
ዜና አንባቢ

Tau•cher, der
ጠላቂ

Ma•ler, der
ቀለም ቀቢ

Me•cha•ni•ker, der
መካኒክ

Tier•arzt, der
የእንስሳት ሀኪም

Ge•päck•trä•ger, der
ኩሊ

Kon•di•ti•ons•trai•ner, der
ስፖርት አሰልጣኝ

Rich•ter, der
ዳኛ

Wach•mann, der
ዘበኛ/ጥበቃ

Ra•dio•mo•de•ra•tor, der
ሬዲዮ ጆኪ

Koch, der
ምግብ አብሳይ

Kell•ner, der
አስተናጋጅ

Fri•seur, der
ፀጉር አስተካካይ

Feu•er•wehr•mann, der
የእሳት አደጋ ሰራተኛ

As•tro•nom, der
የከዋክብት ተመራማሪ

Schus•ter, der
ጫማ ሰሪ

Klemp•ner, der
ቧንቧ ሰሪ

Berg•ar•bei•ter, der
ማዕድን አውጪ

Bau•er, der
ገበሬ

Wis•sen•schaft•ler, der
ሳይንቲስት

Gärt•ner, der
አትክልተኛ

Sol•dat, der
ወታደር

Rich•ter, der
ዳኛ

Seg•ler, der
መርከበኛ

Tän•ze•rin, die
ዳንሰኛ

Elek•tri•ker, der
ኤሌክትሪክ ሰራተኛ

In•ge•nieur, der
መሃንዲስ

Po•li•zist, der
ፖሊስ

Fi•scher, der
ዓሣ አጥማጅ

Die Frei•zeit•ak•ti•vi•tä•ten

ጊዜ አጠቃቀም

Le•sen, das

ማንበብ

Ge•schich•ten•er•zäh•len, das
ትረካ

Seil•sprin•gen, das

መዝለል

Her•um•lau•fen, das
መሯሯጥ

Zau•ber•show, die
የአስማተኛ ትዕይንት

Ver•klei•den, das
መለባበስ

Tan•zen, das
መደነስ

Lau•fen, das
የእግር ጉዞ

Sack•hüp•fen, das
በጆንያ መዝለል

Ma•len, das
ስዕል መሳል

Schrei•ben, das

መጻፍ

Vi•de•o•spiel, das,

የቪዲዮ ጨዋታዎች

Sand•kunst, die
የአሸዋ ቅርጻ ቅርጽ

Rut•schen, das
መንሸራተት

Dra•chen•stei•gen•las•sen, das

ካይት ማብረር

Tau•zie•hen, das

የገመድ ጉተታ ግጥሚያ

Ver•steck•spiel, das

ድብብቆሽ

Jo-Jo, das

ዮዮ

Sin•gen, das

መዝፈን

Krei•sel, der

እሽክርክሪት

Him•mel-und-Höl•le-Spiel, das

ሰኞ ማክሰኞ

Bock•sprin•gen, das

ሊፕፍሮግ

Blin•de•kuh

አይን ታስሮ አባሮሽ

Gar•ten•ar•beit, die

አትክልተኛነት

Bey•b•la•de-Krei•sel, der

እሽክርክሪት

Cam•pen, das

ካምፒንግ

Pup•pen•haus, das

የአሻንጉሊት ቤት

Krei•sel, der

እሽክርክሪት

Bau•stei•ne, die

መገንቢያ

Pup•pe, die

አሻንጉሊት

Wür•fel-Puz•zle, das

ሩቢክስ ኪዩብ

Spiel•zeug-Schild•krö•te, die

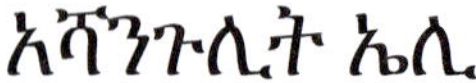

Fahr•rad, das

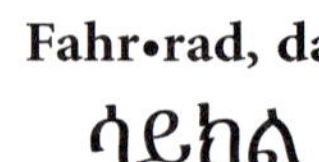

Sand•burg, die

ከአሸዋ የተሰራ ቤተመንግስት

Sta•pel•rin•ge, die

የተደራረበ ቀለበት

Drei•rad, das

ባለ ሦስት እግር ሳይክል

Geh•hil•fe, die

ምርኩዝ

Holz•en•te, die

ከእንጨት የተሰራ ዳክዬ

Ba•by-Scoo•ter, der

የልጅ ስኩተር

Spiel•haus, das
የመጫወቻ ቤት

Bow•ling, das
ቦውሊንግ

Spiel•zeu•gen•te, die
አሻንጉሊት ዳክዬ

sch•tier, das, Plüsch•tie•re, die
አሻንጉሊት እንስሳት

Spiel•zeug•au•to, das
መጫወቻ መኪና

Spar•schwein, das
ገንዘብ ማስቀመጫ ሳጥን

Bau•stei•ne, die
መገንቢያ

Ei•sen•bahn•set, das
መጫወቻ የባቡር ስብስብ

Strand-Spiel•zeug-Set, das
የባህር ዳር መጫወቻዎች ስብስብ

Re•chen•ta•fel, die
አባከስ

Zinn•sol•dat, der
አሻንጉሊት ወታደሮች

Lauf•ler•ner, der
ምርኩዝ

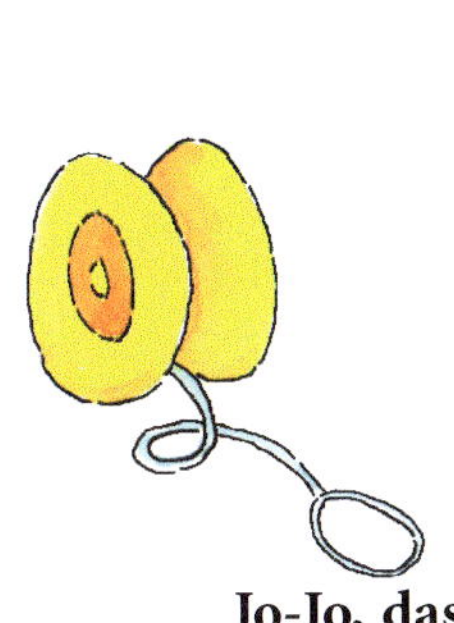

Jo-Jo, das
ዮዮ

Kin•der•wa•gen, der
የልጅ መግፊያ ጋሪ

Sport und Er•ho•lung

ስፖርት እና መዝናኛ

Kri•cket, das

ክሪኬት

Tisch•ten•nis, das

የጠረጴዛ ቴንስ

Kri•cket•ball und -schlä•ger, der

ክሪኬት የኳስ መምቻ ዱላ እና ኳስ

Rug•by•ball, der

የራግቢ ኳስ

Rug•by, das

ራግቢ

Ho•ckey, das

ሆኪ

Golf, das

ጎልፍ

Rad•fah•ren, das
ብስክሌት ግልቢያ

Bad•min•ton, das
ባድሚንተን

Ath•le•tik, die
አትሌቲክስ

Gym•nas•tik, die
ጅምናስቲክስ

Fuß•ball, der
እግር ኳስ

Speer•wurf, der
ጦር ውርወራ

Ten•nis, das
ሜዳ ቴኒስ

Rei•ten, das
ፈረስ ዝላይ

Ka•ra•te, das
ካራቴ
Bas•ket•ball, der
ባስኬት ቦል
Bas•ket•ball, der
ባስኬት ቦል
Bow•len, das
ቦውሊንግ
Schach, das
ቼዝ
Base•ball, der
ቤዝቦል
Base•ball und Base•ball•schlä•ger, der
ቤዝቦል እና የኳሱ መምቻ
Vol•ley•ball, der
ቮሊቦል
Box•hand•schu•he, die
የቦክሰኞች ጓንት
Dis•kus•wurf, der
ዲስከስ ውርወራ

Eis- und Was•ser•sport
የበረዶ እና ውሃ ስፖርቶች

Im Frei•zeit•park

መዝናኛ ፓርክ

Hüpf•burg, die

መዝለያ ቤት

Ach•ter•bahn, die

ሮለር ኮስተር

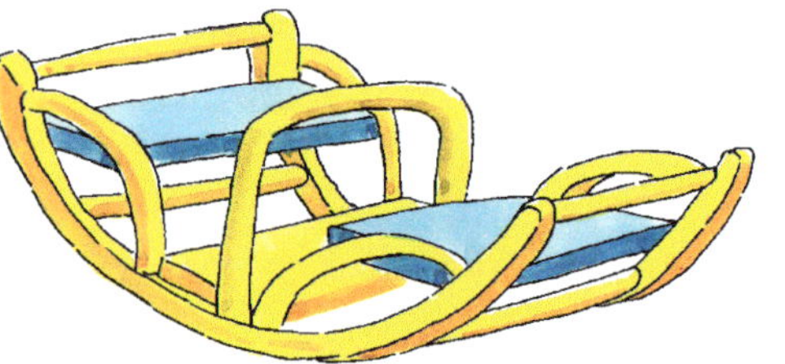

Schau•kel•stuhl, der

ክብ ዥዋዥዌ

Dreh•schei•be, die

መሽከርከሪያ

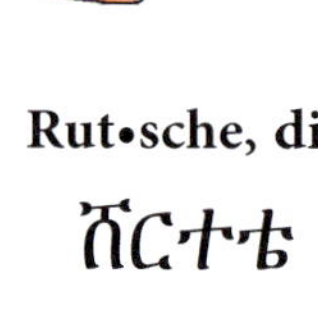

Rut•sche, die

ሸርተቴ

Rie•sen•rad, das

ፌሪስዊል

Schiff•schau•kel, die

የድራጎን ዥዋዥዌ

Ka•rus•sell, das

ካሪሶል

Schau•kel, die
ዥዋዥዌ

Ele•fan•ten-Wip•pe, die
የዝሆን ሲሶ

Wip•pe, die
የመጫወቻ ሚዛን

Was•ser•rut•sche, die
ውሃ ሸርተቴ

Schau•kel•pferd, das
የሚወዛወዝ መጫወቻ ፈረስ

Rie•sen•rad, das
ፌሪስዊል

Klet•ter•ge•rüst, das
መንጠልጠያ መጫወቻ

Ka•rus•sell, das
ካሪሶል

Mi•ni-Ei•sen•bahn, die
ትንሽ ባቡር

Das Bü•ro•ma•te•ri•al

የቢሮ እቃዎች

Fo•to•ko•pie•rer, der
ፎቶ ኮፒ ማሽን

Fax•ge•rät, das
ፋክስ ማሽን

Com•pu•ter, der
ኮምፒዩተር

Glo•bus, der
ሉል

Stuhl, der
ወንበር

Ta•sche, die
ቦርሳ

Schreib•tisch•but•ler, der
የቤሮ ጠረጴዛ ማስተካ

Brief•be•schwe•rer, die
ወረቀት መደገፊያ

Buch, das
መጽሐፍ

Müll•ei•mer, der
የቆሻሻ ማስቀመጫ

Schreib•ma•schi•ne, die
ታይፕራይተር

Ak•ten•schrank, der
የመዝገብ ማስቀመጫ ሳጥን

Um•schlag, der, Um•schlä•ge, die

ፖስታዎች

No•tiz•block, der

ማስታወሻ መያዣ

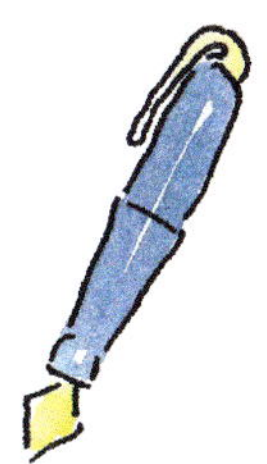

Fül•ler, der

እስክርቢቶ

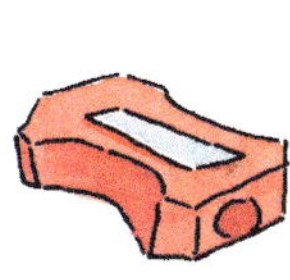

An•spit•zer, der

መቅረጫ

Lo•cher, der

የወረቀት ቀዳዳ ማውጫ

Tin•ten•fass, das

መጻፊያ ቀለም

Kle•ber, der

ሙጫ

Ra•dier•gum•mi, das

ላጲስ

Kle•be•stift, der

ማጣበቂያ

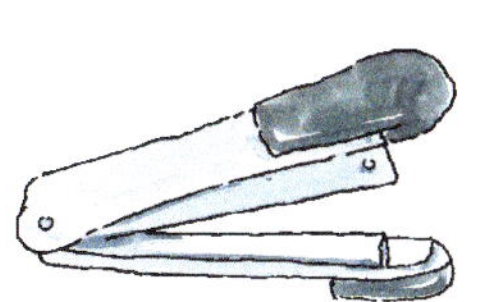

Ta•cker, der

ስቴፕለር

No•tiz•buch, das

ደብተር

Li•ne•al, das

ማስመሪያ

Blei•stift, der

እርሳስ

Bü•ro•klam•mer, die

አግራፍ

Ta•ge•buch, das

አጀንዳ

Text•mar•ker, der

ሀይላይተር

Kaf•fee•au•to•mat, der

የቡና ማሽን

Ord•ner, der

ባይንደር

Ta•schen•rech•ner, der

የሂሳብ መስሪያ

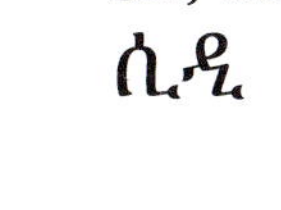

CD, die

ሲዲ

Sche•re, die

መቀስ

Kle•be•band•ab•rol•ler, der

ፕላስተር ማውጫ

Viel•zweck•klem•me, die

የባይንደር መቆንጠጫ

Heft•zwe•cke, die

ስፒል

Die Ak•ti•ons•wör•ter

የድርጊት ቃላት

tan•zen
መደነስ

klat•schen
ማጨብጨብ

lau•fen
በእግር መሄድ

ba•den
መታጠብ

gra•ben
መቆፈር

tra•gen
መልበስ

spie•len
መጫወት

hüp•fen
መዝለል

drü•cken
መግፋት

füt•tern
ማብላት

trans•por•tie•ren
መሸከም

klet•tern
ወደ ላይ መውጣት
schau•en
መመልከት
fa•llen
መውደቅ
spre•chen
መናገር
zer•rei•ßen
መቅደድ
sprin•gen
መዝለል
trom•meln
ከበሮ መምታት
bürs•ten
መቦረሽ
es•sen
መብላት
lä•cheln
ፈገግ ማለት
hal•ten
መያዝ
schrei•ben
መጻፍ

Das Ge•gen•teil

ተቃራኒዎች

ver•lie•ren - ge•win•nen

መሸነፍ - ማሸነፍ

jung - alt

ወጣት - አዛውንት

schwe•ben - sin•ken

አንዣብብ - መስመጥ

gleich - an•ders

አንድ አይነት - የተለያየ

stumpf - scharf

ዱልዱም - ስል

schwer - leicht

ከባድ - ቀላል

schrei•en - flüs•tern

ጮክ ያለ - ጸጥ ያለ

trau•rig - glück•lich

ያዘነ -ደስተኛ

sin•ken

መንሳፈፍ - መስ

trei•ben

neu - alt

አዲስ - አሮጌ

groß

ትልቅ - ት

klein

weit
ቅርብ - ሩቅ
nah
reich - arm
ሀብታም - ድሃ
dick - dünn
ወፍራም - ቀጭን
bil•lig
oben
ከታች
ውድ -እርካሽ
un•ten
teu•er
dick
ወፍራም - ቀጭን
dünn
sau•ber
dre•ckig
ንጹህ - ቆሻሻ
hin•aus
LEFT
RIGHT
rau
ውስጥ - ውጭ
ለስላሳ - ሻካራ
glatt
hin•ein
links
rechts
ግራ - ቀኝ

Som•mer
በጋ - ክረምት
Win•ter
oben
ላይ - ታች
un•ten
zie•hen
መጎተት - መግፋት
drü•cken
über
ከላይ - ከታች
unter
voll
leer
ሙሉ - ባዶ
häss•lich
አስቀያሚ - ቆንጆ
schön
schwer
ከባድ - ቀላል
leicht
weich
ለስላሳ - ጠንካራ
hart
hin•ten
ርባ - ፊት ለፊት
vor•ne
kurz
አጭር - ረጅም
lang

Werk•zeu•g, das

መሳሪያዎች

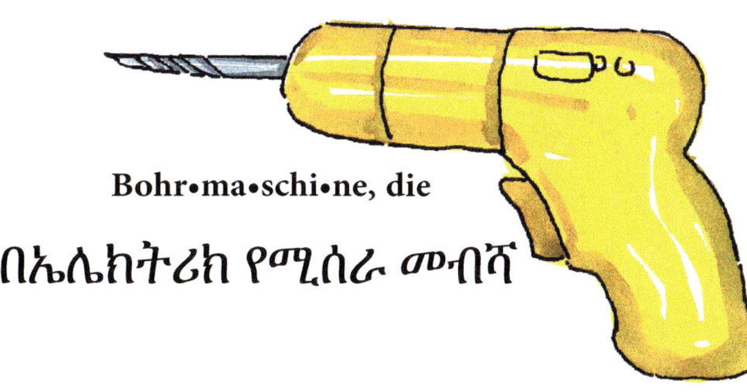

Bohr•ma•schi•ne, die

በኤሌክትሪክ የሚሰራ መብሻ

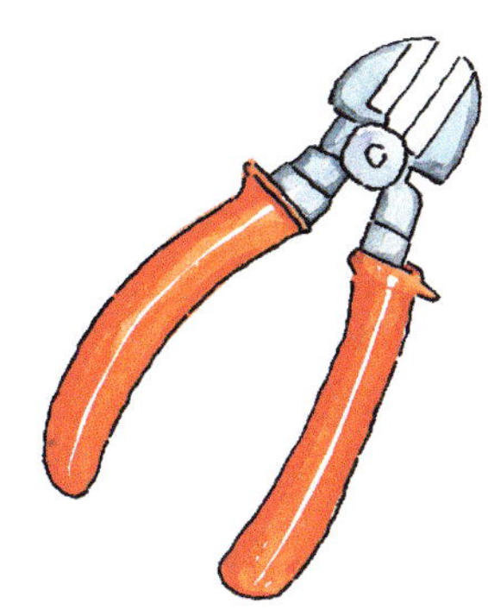

Bei•ßz•an•ge, die

ትንሽ የመቁረጫ መሳሪያ

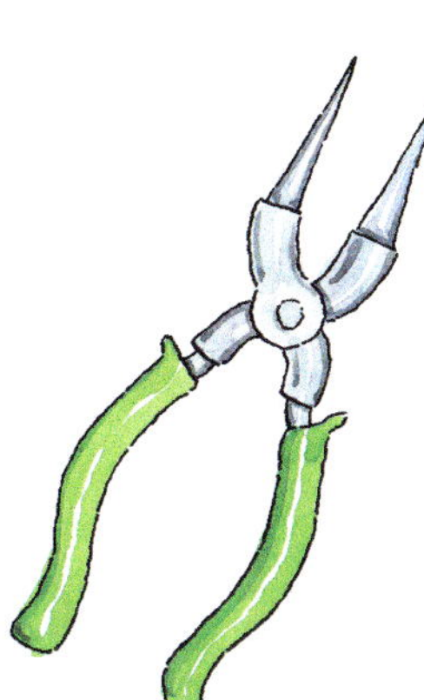

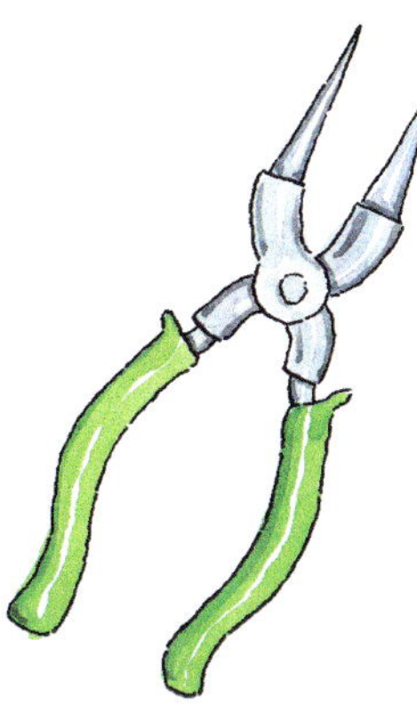

Na•del•zan•ge, die

ቀጭን ፒንሳ

Me•tall•sä•ge, die

ብረት መጋዝ

Pin•sel, der

ለም መቀቢያ ብሩሽ

Fäus•tel, der

ማሳ

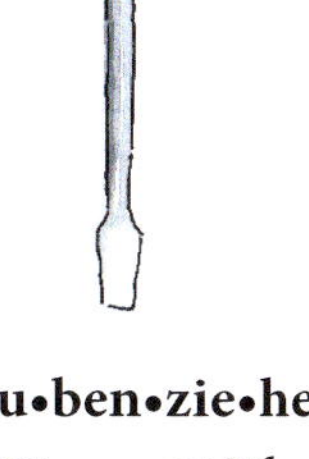

Schrau•ben•zie•her, der

ብሎን መፍቻ

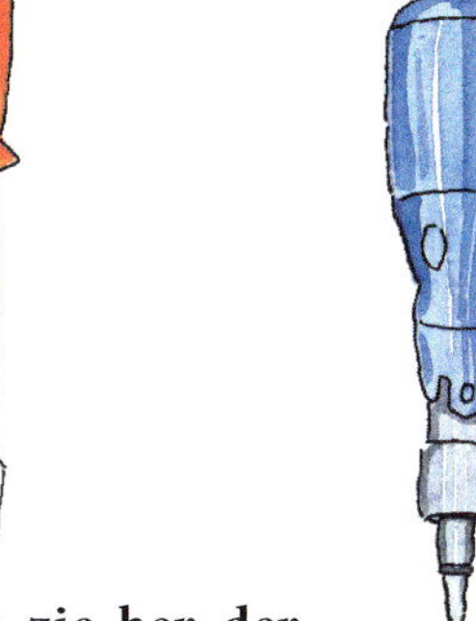

Ah•le, die

ወስፌ

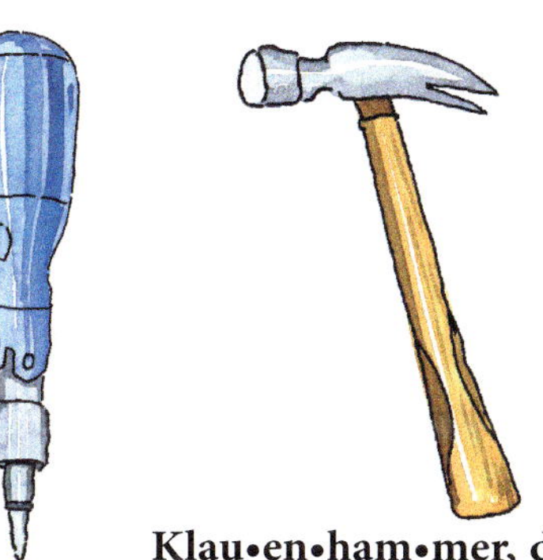

Klau•en•ham•mer, der

የአናጢ መዶሻ

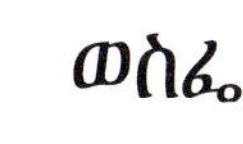

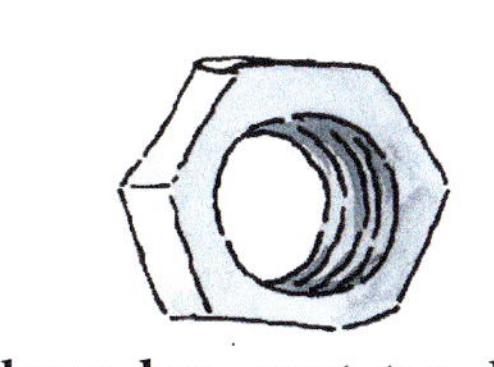

Schrau•ben•mut•ter, die

ብሎን

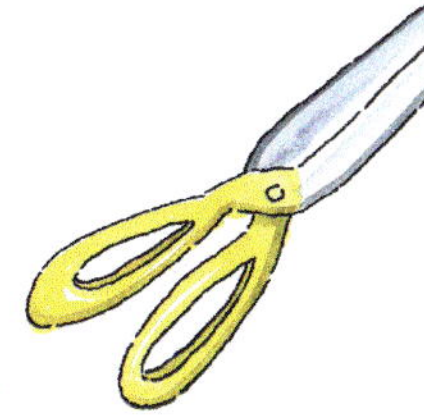

Sche•re, die

መቀስ

Schrau•be, die,

Schrau•ben, die

ብሎን

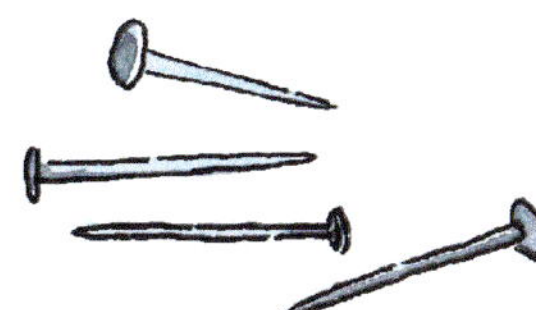

Na•gel, der, Nä•gel, die

ሚስማር

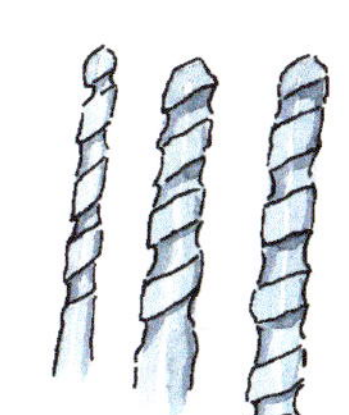

Bohr•ein•satz, der,

Boh•r•ein•sät•ze, die

መሰርሰሪያ

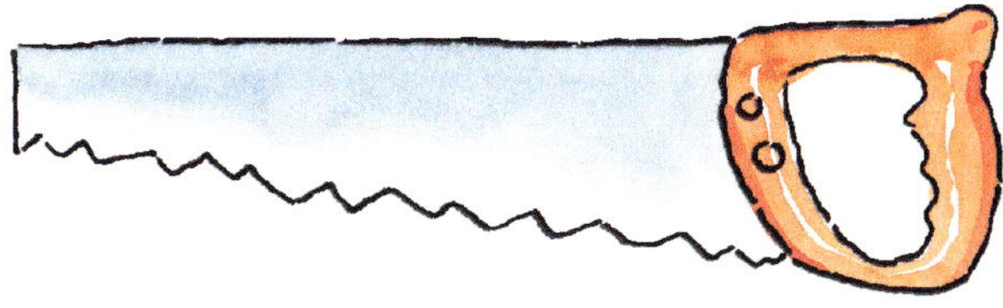

Sä•ge, die

መጋዝ

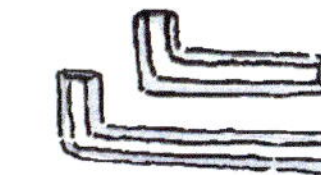

Im•bus•schlüs•sel, der

አለን ኪይ

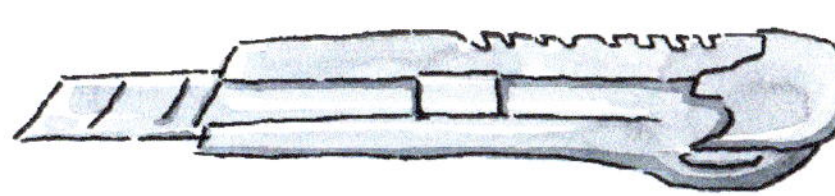

Schnei•de•mes•ser, das

ሴንጢ

Mein Kör•per

የሰውነት ክፍሎች

Kopf, der
ጭንቅላት

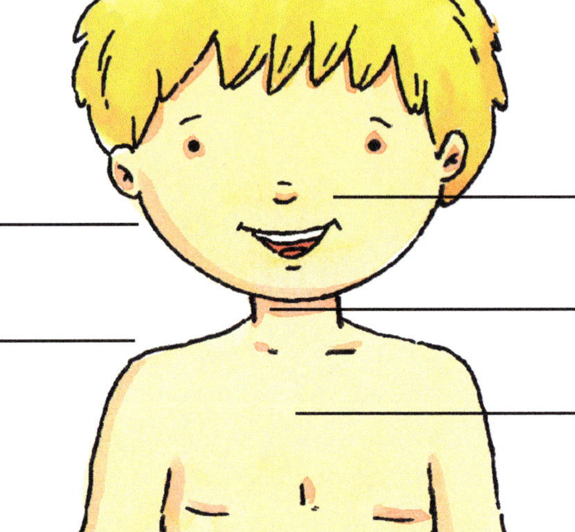

Ge•sicht, das
ፊት

Wan•ge, die
ጉንጭ

Na•se, die
አፍንጫ

Na•cken, der
አንገት

Schul•ter, die
ትከሻ

Brust, die
ደረት

Bauch, der
ሆድ

Au•gen, die
አይን

Hüf•te, die
ወገብ

Lip•pen, die
ከናፍርት

Hand•ge•lenk, das
እጅ መገጣጠሚያ

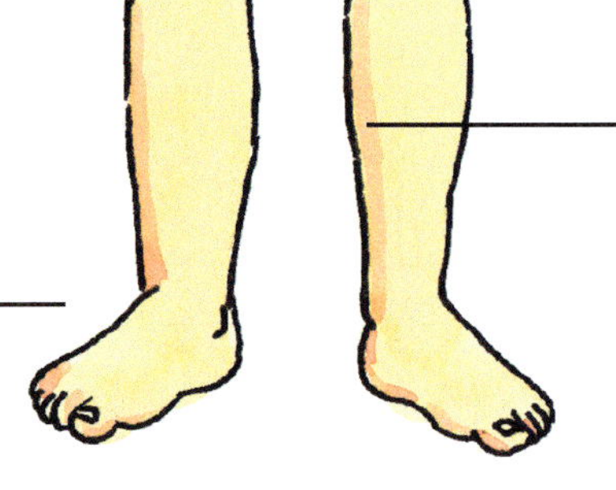

Bein, das
እግር

Ohr, das, Oh•ren, die
ጆሮ

Fu•ßknö•chel, der
ቁርጭምጭሚት

Ell•bo•gen, der
ክርን

Hand, die
እጅ

Ze•hen, die
የእግር ጥፍሮች

Knie, das
ጉልበት

Ar•me, die
እጆች

Haa•re, die
ጸጉር

Au•gen•brau•en, die
ቅንድብ

Au•gen, die
አይኖች

Ohr, das
ጆሮ

Na•se, die
አፍንጫ

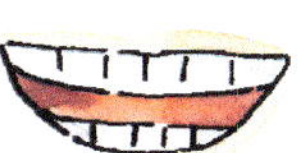

Zäh•ne, die
ጥርስ

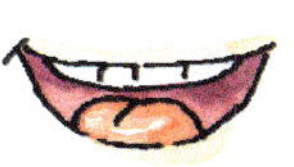

Lip•pe, die
ምላስ

Mund, der
አፍ

Hals, der
አንገት

Brust, die
ደረት

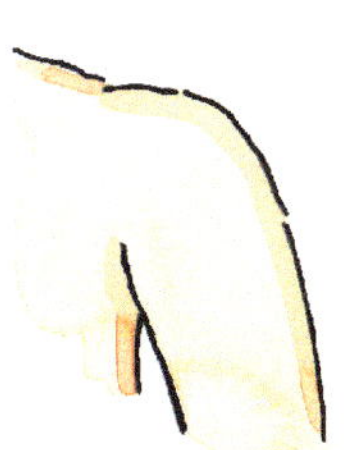

Arm, der
እጅ

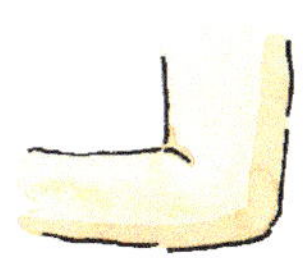

El•len•bo•gen, der
ክርን

Hand, die
እጅ

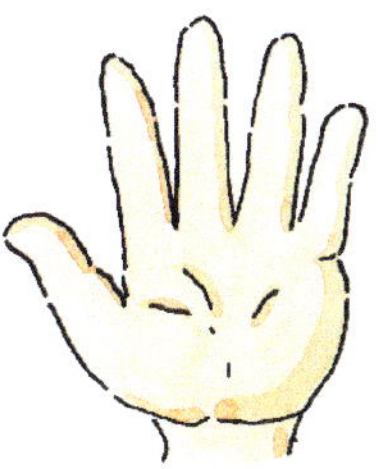

Fin•ger, der
ጣት

Dau•men, der
የአውራ ጣት

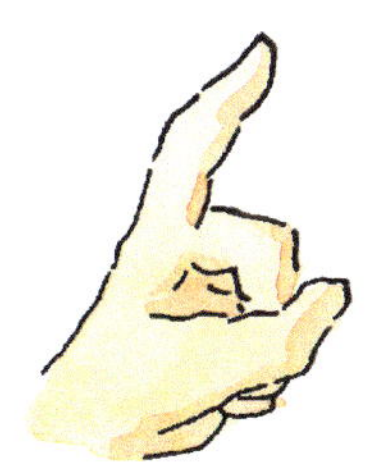

Zei•ge•fin•ger, der
መጠቆሚያ ጣት

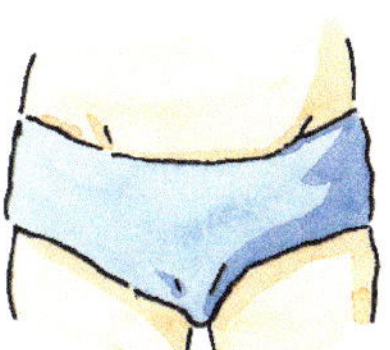

Tail•le, die
ወገብ

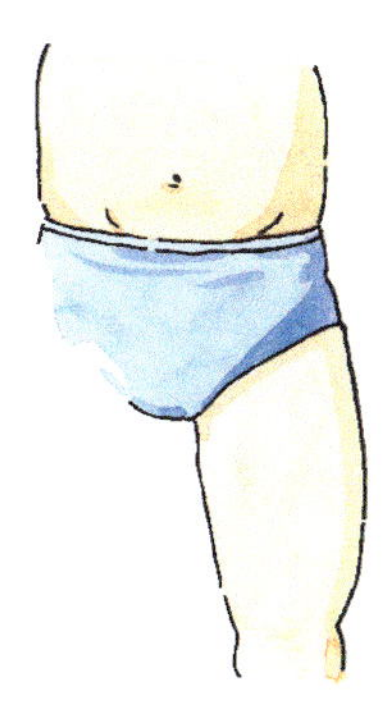

Ober•schen•kel, der
ታፋ

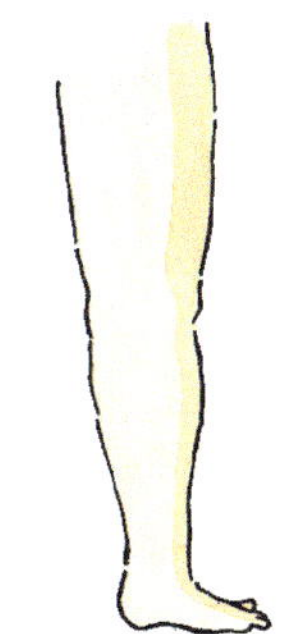

Bein, das
እግር

Knie, das
ጉልበት

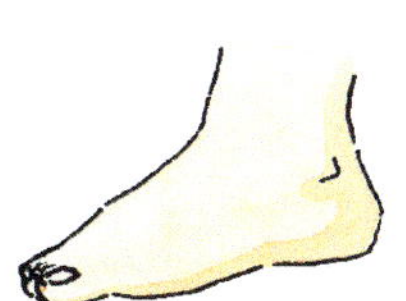

Fu•ßknö•chel, der
ቁርጭምጭሚት

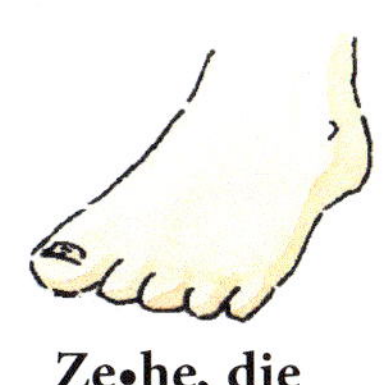

Ze•he, die
የእግር ጥፍር

Auf dem Bau•ern•hof
በእርሻ ላይ

Har•ke, die
ቅጠል መጥረጊያ

Heu•hau•fen, der
የሳር ክምር

Korb, der
ቅርጫት

Zaun, der
አጥር

Ra•sen•mä•her, der
ሳር መቁረጫ

Trak•tor, der
የእርሻ መኪና

Milch•kan•nen, die
ወተት መናጫ

Wind•müh•le, die
የንፋስ ወፍጮ

Spei•cher, der

የእርሻ ምርት የሚቀመጥበት መጋዘን

Scheu•ne, die

ጎተራ

Stall, der

ጋጥ

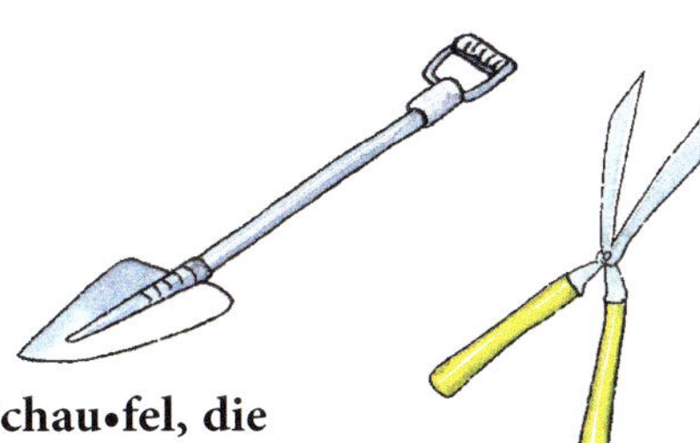

Schau•fel, die

መጥረጊያ

He•cken•sche•re, die

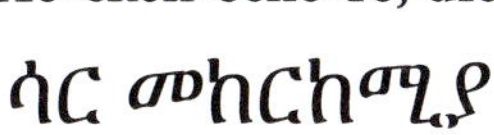

ሳር መከርከሚያ

Axt, die

መጥረቢያ

Schub•kar•re, die

በእጅ የሚገፋ ጋሪ

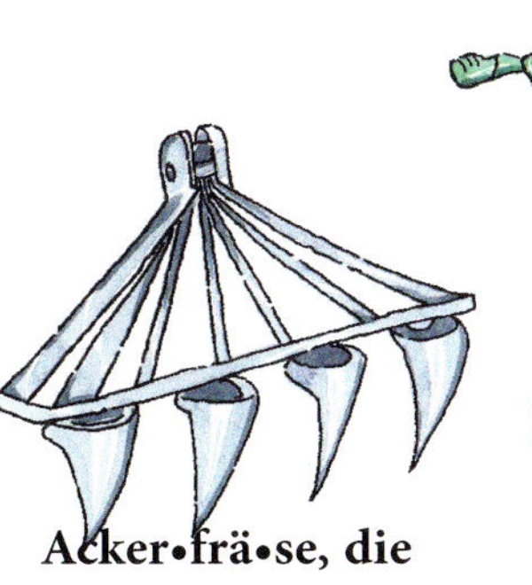

Acker•frä•se, die

መኮትኮቻ

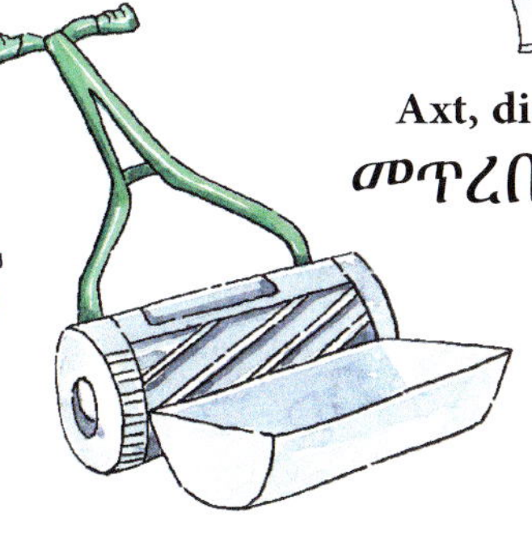

Ra•sen•mä•her, der

ሳር መቁረጫ

Gie•ß•kan•ne, die

ውሃ ማጠጫ ጣሳ

Lei•ter, die

መሰላል

Im Gar•ten
በአትክልት ስፍራ

Schorn•stein, der
የጪስ ማውጫ
Blu•men, die
አበባዎች
Ge•büsch, das
ቁጥቋጦ
Schlauch, der
የውሃ ጎማ
Sprink•ler, der
ውሃ መርጫ
Schau•fel, die
አካፋ

Wet•ter und Jah•res•zei•ten
የአየር ሁኔታ እና ወቅቶች

Win•ter•zeit, die
የክረምት ወቅት

Schnee•fall, der
የበረዶ መውረድ

Schnee•mann, der
ከበረዶ የተሰራ ሰው

Blitz, der
መብረቅ

Ha•gel, der
ጠጣር በረዶ

Re•gen•zeit, die
የዝናብ ወቅት

Früh•lings•sai•son, die

የፀደይ ወራት

Tor•na•do, der

ሀይለኛ አውሎ ንፋስ

Herbst•zeit, die

የመኸር ወቅት

Son•nen•schein, der

የፀሐይ ብርሃን

Som•mer•zeit, die

የበጋ ወቅት

In der Stadt
በከተማ ውስጥ

Mu•se•um, das
ሙዚየም

Bahn•hof, der
የባቡር ጣቢያ

Flug•ha•fen, der
አየር መንገድ

Po•li•zei•re•vier, das
ፖሊስ ጣቢያ

Re•stau•rant, das
ምግብ ቤት

Woh•nun•gen, die
አፓርትመንቶች

Ki•no•saal, der
ሲኒማ

Kon•zert•hal•le, die
የኮንሰርት አዳራሽ

Haus, das
ቤት

Tank•säu•le, die
የጋዝ ማደያ

Feu•er•wa•che, die
የእሳት አደጋ ቤት

Bank, die
ባንክ

Schu•le, die

ትምህርት ቤት

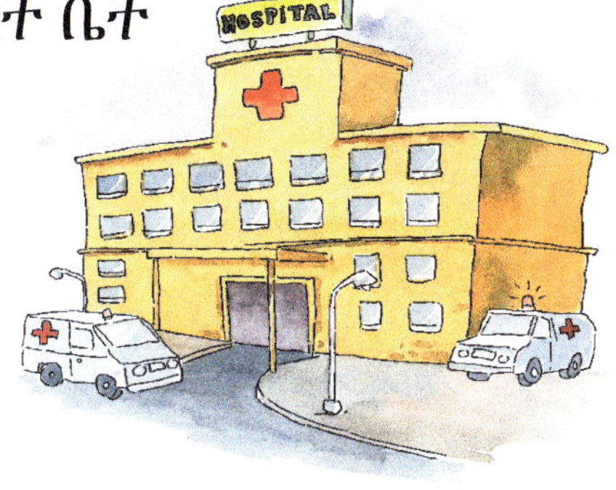

Ver•schif•fungs•ha•fen, der

የባህር ወደብ

Bü•che•rei, die

ቤተ መጻሕፍት

Kran•ken•haus, das

ሐኪም ቤት

Ein•kaufs•zen•trum, das

የንግድ ቦታ

Markt, der

ገበያ

Park, der

መናፈሻ

Post, die

ፖስታ ቤት

Ho•tel, das

ሆቴል

Turm, der

ማማ

Fa•brik, die

ፋብሪካ

Die Stra•ße
መንገዱ
CINEMA
Ki•no, das
የሲኒማ አዳራሽ
Bür•ger•steig, der
የእግረኛ መሄጃ
Au•to, das
መኪና
Ze•bra•strei•fen, der
የእግረኛ መንገድ ማቋረጫ
Kreis•ver•kehr, der
አደባባይ
Geh•weg, der
የእግረኛ መንገድ
Am•pel, die
የትራፊክ መብራት
Stra•ße, die
መንገድ
Ver•kehrs•schil•der, die
የመንገድ ምልክቶች

PETROL PUMP
Tank•stel•le, die
የጋዝ መቅጃ/ቤንዜል ማድያ
tra•ßen•la•ter•ne, die
መንገድ መብራት
Ecke, die
ማዕዘን
BUS STOP
Bus•hal•te•stel•le, die
አውቶቡስ ፌርማታ
Bus, der
አውቶቡስ

Der Su•per•markt
ሱቁ
Früh•stücks•ze•rea•li•en, die
የቁርስ ሲሪያል
Fleisch•pro•duk•te,
የስጋ ምርቶች
chip
chips
Waf•feln, die
ዋፈርስ
Öl•do•sen, die
የዘይት ጣሳ
CHEES
Ei•er, die
እንቁላል
Kon•ser•ven, die
የታሸጉ ምርቶች
Ein•kaufs•wa•gen, der
የግብይት ጋሪ
Früch•te, die
ፍራፍሬዎች
Ein•kaufs•ta•sche, die
ዘንቢል/ከረጢት

Milch, die
ወተት
Kä•se, der
አይብ
Hand•ta•sche, die
የእጅ ቦርሳ
Kun•de, der
ደንበኛ
tu•rier•ma•schi•ne, die
መቀበያ ማሽን
(Bar-) Geld, das
ገንዘብ/ጥሬ ገንዘብ
Kas•sie•rer, der,
Kas•sie•rerin, die
የገንዘብ ተቀባይ
Rech•nung, die
ደረሰኝ
Kas•se, die
የገንዘብ መክፈያ መስኮት

Auf dem Land
ከከተማ ወጣ ብሎ

Was•ser•fall, der

ፏፏቴ

Vo•gel•scheu•che, die

ወፍ መከላከያ የሰው አምሳል

Ber•ge, die

ተራራዎች

Wohn•wa•gen, der

ካራቫን

Wan•de•rer, der

ተራራ ወጪ

Dorf, das

መንደር

Zelt, das

ድንኳን

Land•kar•te, die

ካርታ

Holz•scheit, das

ግንድ

La•ger•feu•er, das

እሳት/ካምፋየር

Schlaf•sack, der

ስሊፒንግ ባግ

Fi•scher, der

ዓሳ አጥማጅ

Baum, der, Bäu•me, die

ዛፎች

Feld•blu•men, die

የዱር አበባዎች

Fel•sen, der, Fel•sen, die

ድንጋዮች

Stadt, die

መንደር

Teich, der

ኩሬ

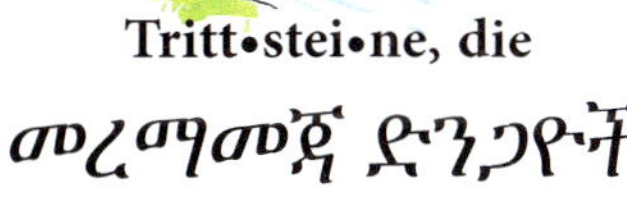

Tritt•stei•ne, die

መረማመጃ ድንጋዮች

Er•zähl- und Mär•chen•fi•gu•ren
የተረት ተረት ገጸ ባህሪያት

Zau•be•rer, der
አስማተኛ

Fee, die
ፌይሪ

Rie•se, der
ግዙፍ

Geist, der
ጣዕረ ሞት

Mär•chen•prinz, der
አማላዩ ልዑል

Zwerg, der
ድንክ

Mons•ter, das
ጭራቅ

Meer•jung•frau, die
መርሜድ

Pi•rat, der
የባህር ላይ ወንበዴ

Kö•nig, der
ንጉስ
Ein•horn, das
ቀንዳም ፈረስ
He•xe, die
ጠንቋይ
Peter Pan
ፒተርፓን
Prin•zes•sin, die
ልዕልት
Dra•che, der
ድራገን
Gla•dia•tor, der
ግላዲዬተር
En•gel, der
መልአክ
Dra•cu•la
ድራኪዩላ
Burg, die
ቤተመንግስት

Die Werk•statt
ጋራዥ

Ei•mer, der
ባልዲ
Schrau•ben•schlüs•sel, der
መፍቻ
Me•cha•ni•ker, der
መካኒክ
Schwei•ß•ma•schi•ne, die
መቀጥቀጫ መሳሪያ
Gas•zy•lin•der, der
የጋዝ ሲሊንደር
Tool Box
Werk•zeug•kas•ten, der
የመሳሪያዎች ማስቀመጫ ሳጥን
Fu•ß•pum•pe, die
መንፈያ

Auf der Bau•stel•le

በግንባታው ቦታ

Kran, der
ክሬን
Trä•ger, der
ሰቀላ
Mau•rer, der
ግንበኛ
Be•ton•mi•scher, der
ሲሚንቶ ማቡኪያ
Press•luft•boh•rer, der
መቦርቦሪያ
Lei•ter, di
መሰላል
Zie•gel, die
ጡብ
Hüt•te, die
ትንሽ ቤት
Ze•ment, der
ሲሚንቶ
Sturz•helm, der
የጭንቅላት መከላከያ
Ei•mer, der
ባልዲ
Schub•kar•re, die
የእጅ ጋሪ

Am Strand
ባህሩ ዳር
Mö•we, die
የባህር ወፍ
In•sel, die
ደሴት
Boots•füh•rer, der
የጀልባ ነጅ
Ko•kos•pal•me, die
የኮኮናት ዛፍ
Was•ser•ski•fah•rer, der
ውሃ ሸርተቴ
Fi•sche, die
አሳዎች
Wind•sur•fer, der
የንፋስ ሸርተቴ
Beach•vol•ley•ball, das
የባህር ዳር ላይ ቮሊቦል
Wel•le, die
ሞገድ
Sand•strand, der
የባህር ዳር አሸዋ
See•stern, der
ኮከብ ዓሣ
Tüm•pel, der
ኩሬ
Sand•burg, die
ከአሸዋ የተሰራ ቤተ መንግስት

Fi•scher•boot, das
ዓሣ ማጥመጃ ጀልባ
Leucht•turm, der
ቤተ መብራት
Hüt•te, die
ጎጆ
Sur•fer, der
ውሃ ላይ የሚንሳፈፍ ሰው
Surf•brett, das
ውሃ ላይ የሚንሳፈፍ ሰው የሚቆምበት ሳንቃ
Lie•ge•stuhl, der
አግዳሚ ወንበር
Schnor•chel, der
ስኖርክል
Krab•be, die
ክራብ
Tau•cher, der
ጠላቂ
Schwimm•ring, der
መንሳፈፊያ
Son•nen•schirm, der
ዣንጥላ
Stand•mat•te, die
ምንጣፍ
Mee•res•mu•schel, die
የባህር ቅርፊት
flos•sen, die
ንፎች

Im Wald
ዱሩ
Bäu•me, die
ዛፎች
Hirsch, der
አጋዘን
Hyä•ne, die
ጅብ
Ha•se, der
ጥንቸል
Pilz, der, Pil•ze, die
የጅብ ጥላ
Pan•da, der
ፓንዳ

Wol•ke, die
ደመና
Ge•pard, der
አቦ ጀማኔ
Ber•ge, die
ተራራዎች
Was•ser•fall, der
ፏፏቴ
Wolf, der
ተኩላ
Tan•nen•baum, der
ጽድ
Bi•ber, der
ቢቨር
Bär, der
ድብ
Fisch, der
ዓሣ
Fuchs, der
ቀበሮ
Eich•hörn•chen, das
ሽኮኮ
Sta•chel•schwein, das
ጃርት

Das Grün•land

ገሳገሩ

Kän•gu•ru, das

ካንጋሩ

Bi•ber, der

ቢቨር

Reh, das

አጋዘን

Leo•pard, der

ሌፓርድ

, die
Ele•fant, der
ዝሆን
Nas•horn, das
አውራሪስ
Ze•bra, das
የሜዳ አህያ
Lö•we, der
አንበሳ

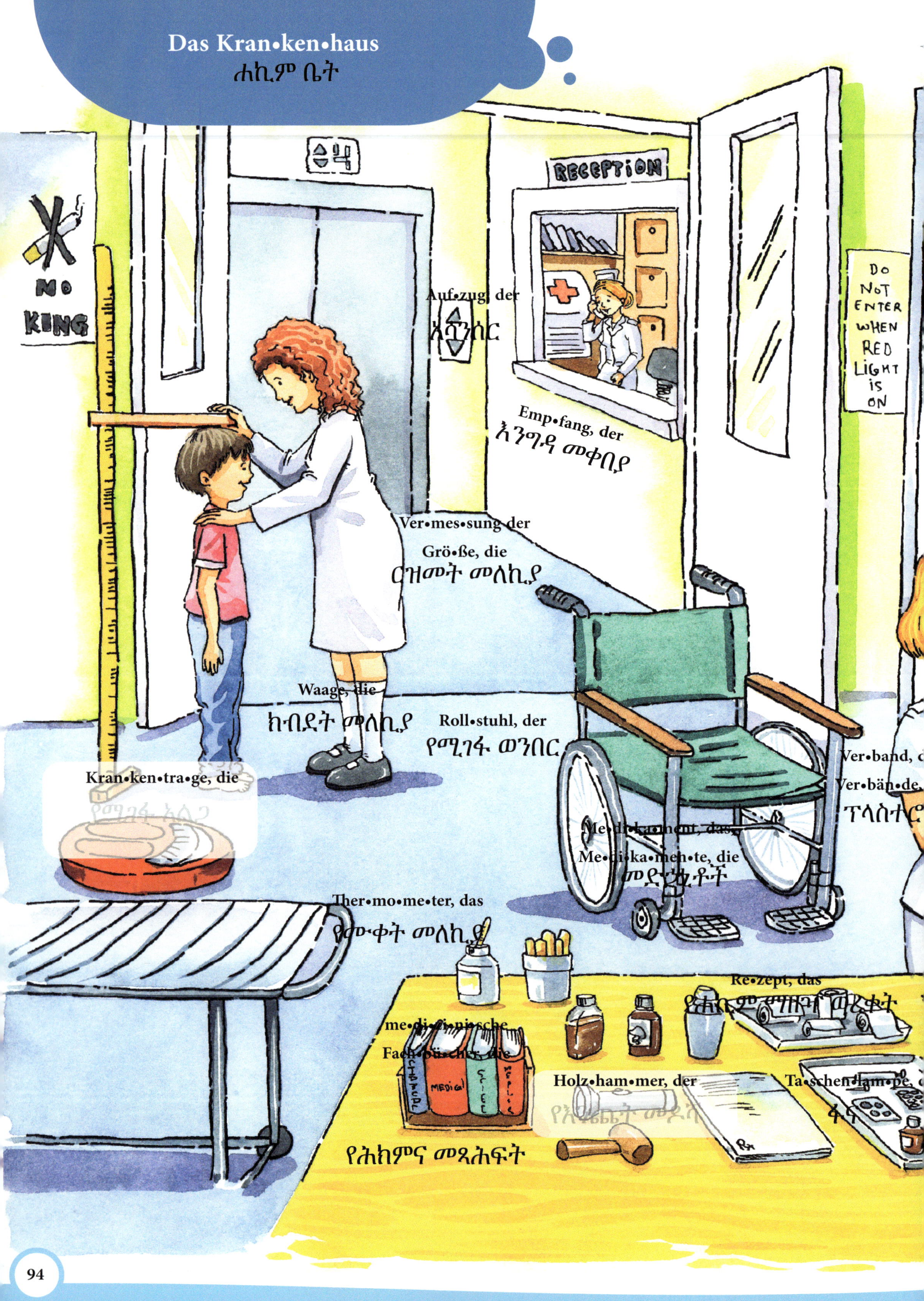

Das Kran•ken•haus
ሐኪም ቤት
RECEPTION
NO
KING
DO NOT ENTER WHEN RED LIGHT IS ON
Auf•zug, der
Emp•fang, der
እንግዳ መቀበያ
Ver•mes•sung der
Grö•ße, die
ርዝመት መለኪያ
Waage, die
ክብደት መለኪያ
Roll•stuhl, der
የሚገፋ ወንበር
Kran•ken•tra•ge, die
Ver•band,
Ver•bän•de,
Me•di•ka•ment, das,
Me•di•ka•men•te, die
Ther•mo•me•ter, das
Re•zept, das
me•di•zi•ni•sche
Fach•bü•cher, die
የሕክምና መጻሕፍት
Holz•ham•mer, der
MEDICAL

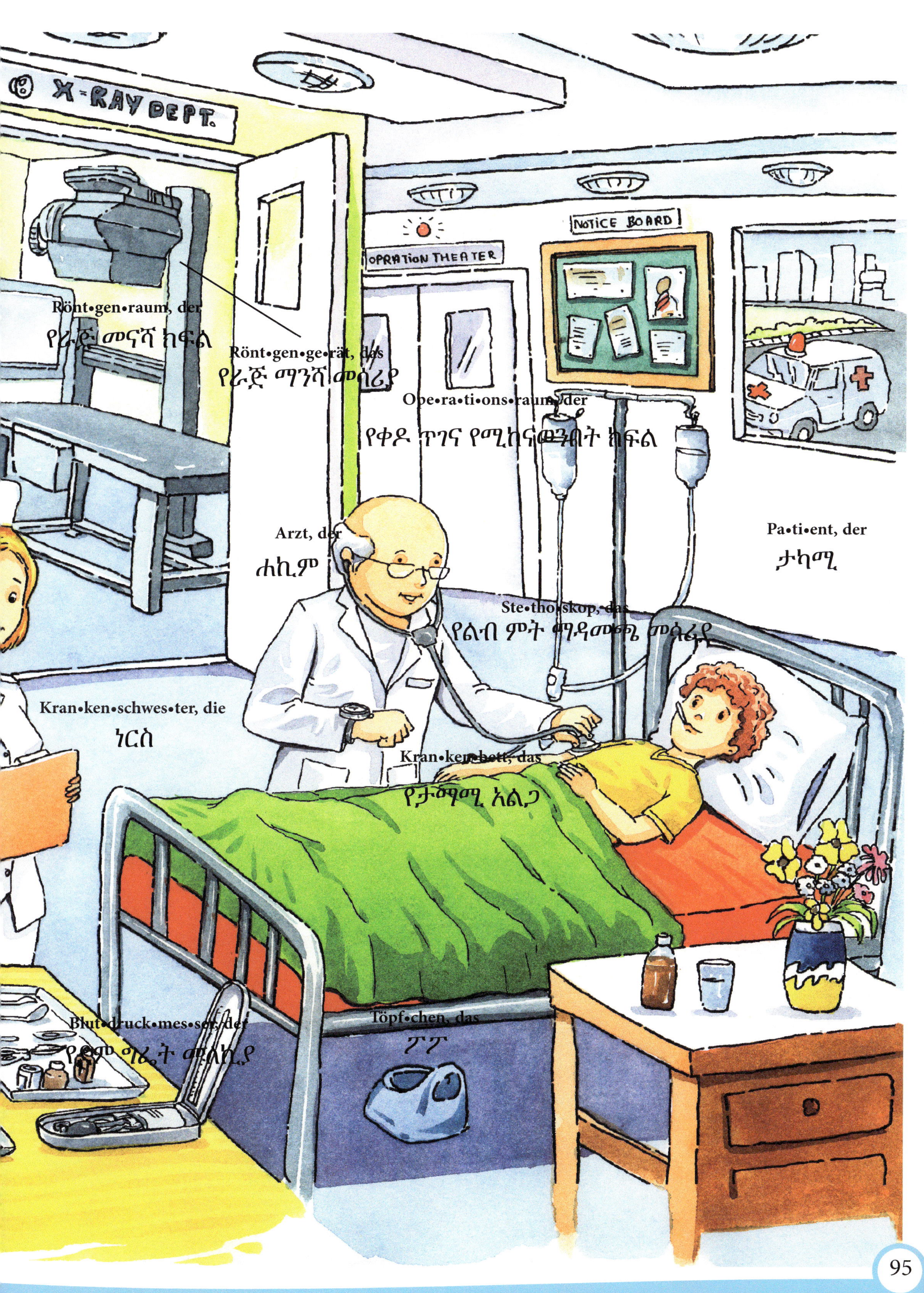
X-RAY DEPT.
NOTICE BOARD
OPRATION THEATER
Rönt•gen•raum, der
የራጅ መናኻ ክፍል
Rönt•gen•ge•rät, das
የራጅ ማንሻ መሳሪያ
Ope•ra•ti•ons•raum, der
የቀዶ ጥገና የሚከናወንበት ክፍል
Arzt, der
ሐኪም
Pa•ti•ent, der
ታካሚ
Ste•tho•skop, das
የልብ ምት ማዳመጫ መሳሪያ
Kran•ken•schwes•ter, die
ነርስ
Kran•ken•bett, das
የታማሚ አልጋ
Blut•druck•mes•ser, der
የደም ግፊት መለኪያ
Töpf•chen, das
ፖፖ

Der Bahn•hof
ባቡር ጣቢያው

Bahn•steig•zu•gang, der
ኛ መሳፈሪያ መድረክ መግቢያ
Ge•päck•trä•ger, der
ሻንጣ ማጓጓዣ
Pas•sa•gie•re, die
ተሳፋሪዎች

Der Flug•ha•fen
አየር መንገዱ

AIRPORT
star•ten•des Flug•zeug
የሚነሳ አውሮፕላን
lan•den•des Flug•zeug
የሚያርፍ አውሮፕላን
Haupt•ein•gang des Flug•ha•fens, der
የአየር መንገድ መግቢያ
Park•platz, der, Park•plät•ze, die
መኪና ማቆሚያ
Stra•ße, die
መንገድ
Bus, der
አውቶቡስ

Far•ben und For•men
ቀለማት እና ቅርጾች

brau•nes Drei•eck, das

ቡናማ ሦስት ማዕዘን

oran•ge•far•be•nes Qua•drat, das

ብርቱካናማ አራት ማዕዘን

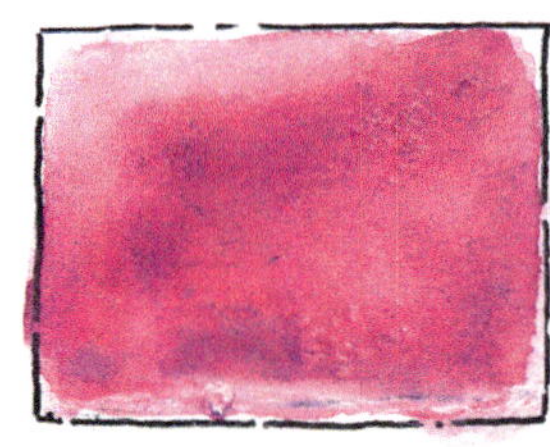

vio•let•tes Recht•eck, das

ውሃማ ሃምራዊ አራት ማዕዘን

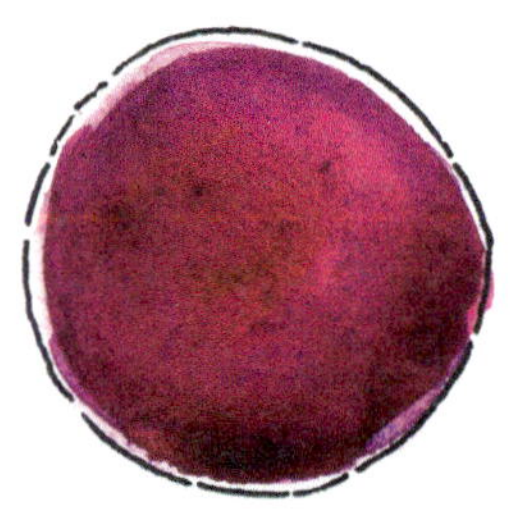

li•la•ner Kreis, der

ሃምራዊ ክብ

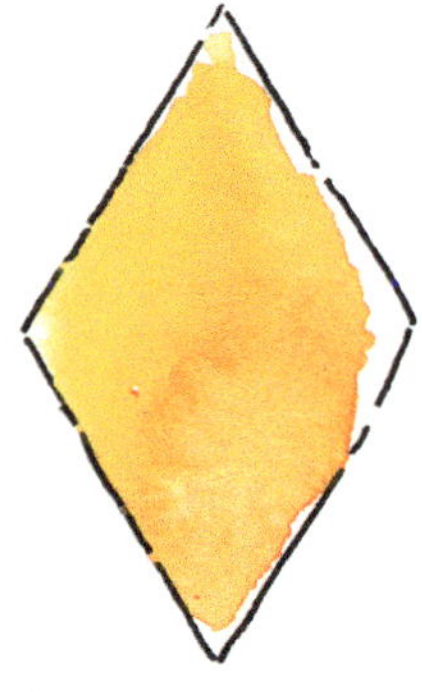

gol•de•ner Dia•mant, der

ወርቃማ ዳይመንድ

grau•es Oval, das

ግራጫ ሞላላ

pin•ker Stern, der

ሮዝ ኮከብ

ro•tes Herz, das

ቀይ ልብ

gel•ber Halb•mond, der

ቢጫ ሩብ ጨረቃ

grü•ner Wür•fel, der

አረንጓዴ ኪዩብ

schwar•zer Ke•gel, der

ጥቁር ኮን

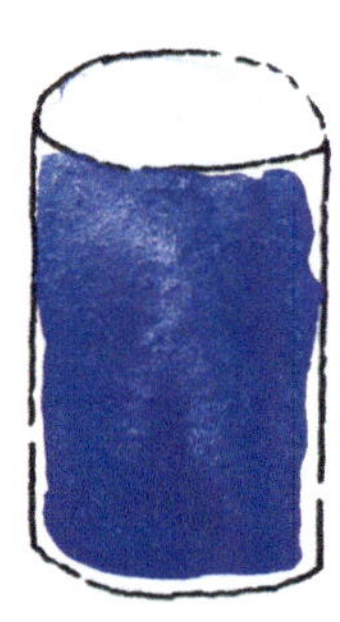

blau•er Zy•lin•der, der

ሰማያዊ ሲሊንደር